SPANISH
SENTENCE BUILDERS
TRILOGY
PART 1
A lexicogrammar approach

SPEAKING BOOKLET

Edited by Jaume Llorens & Paloma Lozano García

 THE LANGUAGE GYM

About the authors

Gianfranco Conti taught for 25 years at schools in Italy, the UK and in Kuala Lumpur, Malaysia. He has also been a university lecturer, holds a Master's degree in Applied Linguistics and a PhD in metacognitive strategies as applied to second language writing. He is now an author, a popular independent educational consultant and professional development provider. He has written around 2,000 resources for the TES website, which have awarded him the Best Resources Contributor in 2015. He has co-authored the best-selling and influential book for world languages teachers, "The Language Teacher Toolkit" and "Breaking the sound barrier: Teaching learners how to listen", in which he puts forth his Listening As Modelling methodology. Gianfranco writes an influential blog on second language acquisition called The Language Gym, co-founded the interactive website language-gym.com and the Facebook professional group Global Innovative Language Teachers (GILT). Last but not least, Gianfranco has created the instructional approach known as E.P.I. (Extensive Processing Instruction).

Dylan Viñales has taught for 15 years, in schools in Bath, Beijing and Kuala Lumpur in state, independent and international settings. He lives in Kuala Lumpur. He is fluent in five languages, and gets by in several more. Dylan is, besides a teacher, a professional development provider, specialising in E.P.I., metacognition, teaching languages through music (especially ukulele) and cognitive science. In the last five years, together with Dr Conti, he has driven the implementation of E.P.I. in one of the top international schools in the world: Garden International School. This has allowed him to test, on a daily basis, the sequences and activities included in this book with excellent results (his students have won language competitions both locally and internationally). He has designed an original Spanish curriculum, bespoke instructional materials, based on Reading and Listening as Modelling (RAM and LAM). Dylan co-founded the fastest growing professional development group for modern languages teachers on Facebook, Global Innovative Languages Teachers, which includes over 12,000 teachers from all corners of the globe. He authors an influential blog on modern language pedagogy in which he supports the teaching of languages through E.P.I. Dylan is the lead author of Spanish content on the Language Gym website and oversees the technological development of the site

Acknowledgements

We would like to thank our editors, Paloma Lozano García and Jaume Llorens, for their tireless work, proofreading, editing and advising on this book. They are talented, accomplished professionals who work at the highest possible level and add value at every stage of the process. Not only this, but they are also lovely, good-humoured colleagues who go above and beyond, and make the hours of collaborating a real pleasure.

Thanks to Flaticon.com for providing access to a limitless library of engaging icons, clipart and images, which we have used to make this book more user-friendly and engaging for students.

Additionally, our gratitude to the MFL Twitterati for their ongoing support of E.P.I. and the Sentence Builders book series.

In particular a shoutout to our team of incredible educators who helped in checking all the units of this volume: Aurélie Lethuilier, Jérôme Nogues, Lorène Martine Carver, Ester Borin, Christian Moretti, Ryan Cockrell, Anna Vila, Sonja Fedrizzi, Sarah Castillejo & Inés Głowacka. It is thanks to your time, patience, professionalism and detailed feedback that we have been able to produce such a refined and highly accurate product.

Dylan would also like to thank his eagle-eyed students for adding an extra layer of accuracy to this book: Xi Chen, Ishami Rai, Blessing Khai, Kirana Crichton, Aarush Ramavath, Weichen Hui Zhao, Sean Kim and Joowon Hong.

Gracias a todos,
Gianfranco & Dylan

Dedication

For Catrina
-Gianfranco

For Ariella & Leonard
-Dylan

Introduction

Hello and welcome to the first Speaking Skills book designed to be an accompaniment to our Spanish, Extensive Processing Instruction course.

How to use this book

This book has been designed as a resource to use in conjunction with the E.P.I. approach and teaching strategies in a bid to scaffold oral communication by gradually moving from highly structured tasks (e.g. 'Oral Ping Pong', 'No snakes no ladders', 'Communicative drills') to semi-structured ones (e.g. 'Surveys', 'Things in Common', 'Detectives and Informants').

The activities in this book should be carried out after an intensive listening and reading phase, in which the students have been flooded with highly comprehensible input containing the target vocabulary and grammar structures, thereby processing them receptively many times over.

If following the MARS EARS framework, teachers may want to stage two or three 'chunking-aloud' games, such as 'Mind reading', 'Sentence stealer', 'Lie detector', etc. in order to warm the students up, consolidate good pronunciation and refine their decoding skills.

Also, prior to playing oral retrieval practice games such as 'Oral Ping-Pong', it is recommended that the students do some retrieval practice in writing. This can be done through digital tools, worksheets, mini whiteboards and may be teacher and/or student led.

Finally, it is recommended that before carrying out the fluency-building games 'Faster', 'Fast and Furious', 'Fluency cards' and Trapdoor', the students be given a few minutes to plan the tasks individually or with peers in order to decrease the potential for cognitive overload and subsequent errors that speaking at increasing speed rate may elicit due to the challenging nature of the task.

What's inside

The book contains 15 units which concern themselves with specific communicative functions, such as 'Describing people's appearance and personality', 'Saying what you like and dislike' or 'Saying what you and others do in your free time'.

Each unit includes a sentence builder with the target constructions and vocabulary followed by a series of tried and tested Conti E.P.I. speaking games sequenced so as to pose a gradually increasing degree of challenge. The speaking games included are:

- Oral Ping Pong
- Find Someone Who
- No Snakes No Ladders
- Staircase Translation
- Faster!
- Fast & Furious

- Communicative Drills
- Fluency Cards
- Trapdoor
- Things in Common
- Detectives & Informants
- Information Gap Tasks

As already noted, the above games are sequenced in ascending order of linguistic and cognitive challenge. The focus is on gradually building up students' fluency and autonomous competence. These games fall in the 'Structured Production', 'Routinization' and 'Spontaneity' phases in Dr Conti's **MARS EARS** pedagogical cycle, which is central to his E.P.I. approach.

Many thanks for reading this. We hope that both you and your students will find this book useful and enjoyable.

Gianfranco and Dylan

 THE LANGUAGE GYM

SENTENCE BUILDERS TRILOGY - PART 1 SPEAKING BOOKLET

TABLE OF CONTENTS

THE LANGUAGE GYM

How to play the games – INSTRUCTIONS

ORAL PING PONG
Students work with a partner.
1. Student A starts by reading out his/her first sentence **in English**. Student B must translate into Spanish.
2. Student A checks the answer on their sheet. If correct, Student B gets 3 points (100% accurate), 2 points (1 error), or 1 point (verb correct).
3. Student B then reads out his/her first sentence **in English**, Student A translates, and B checks and so on. It is called 'Oral ping-pong translation' because students are firing phrases at each other to translate and score points. **The person with the most points after 10 mins wins.**
NOTE: As a follow-up, students should **write** the translations in the gaps provided.

FIND SOMEONE WHO
1. Students are given a card each and a grid to fill in (both provided in each unit of this book).
2. Students must take turns asking the key questions (provided) and then listening to the information provided by fellow students on their cards.
3. If a student finds someone who matches the criteria in the grid, they write down the person's name.
NOTE: at times there will be **multiple people** who are a match for a criteria, and at other times, there will be **red herrings** – cards which do not actually match any criteria at all. This is a design feature to create added challenge and engagement.
TIP: you will need to set high expectations and then monitor students to make sure they engage in target language and use their speaking & listening skills. Some students may try and bend the rules by copying from friends.

NO SNAKES NO LADDERS
Students work in triads. You will need one dice per table and a copy of both the English & Spanish board.
1. One student is the referee and two students are the players.
2. The referee has access to the translations (via a copy of either the English or the Spanish board).
3. Students role a dice and then move their counter forward. They must then translate the language in the box where their counter falls.
4. If a student translates correctly, as confirmed by the referee, they can roll again.
5. If a student cannot translate the content of a square, the referee must tell them the answer, and it is then the other player's turn.
6. When a student wins the game, the referee changes, in order to allow students to alternate roles.
TIP: We recommend starting from Target Language to English, and then after a couple of rounds, or whenever students are ready, then working from English to Target Language.

STAIRCASE TRANSLATION
Students work with a partner.
1. Students must **translate aloud** the paragraph as quickly as possible.
2. Once the whole paragraph has been successfully translated aloud, students write down the translation into the box.

FASTER
Students alternate the role of player and referee.
1. Students translate aloud a number of sentences in front of a referee.
2. The student referee gives a time and feedback on accuracy.
3. The student listens to feedback and then repeats the process with a second, third, fourth, referee with an aim to improving in terms of speed and accuracy on each attempt.
TIP: Make sure that referees have a visible timer, to increase motivation!

FAST & FURIOUS
Similar to FASTER, but students work from gapped target language sentences.

COMMUNICATIVE DRILLS
Students alternate the role of player and referee.
1. Students work with a partner to translate short dialogues from English to Spanish.
2. The student referee monitors the game and provides help and feedback on accuracy.
3. Once the students have correctly translated all the boxes out loud, the game is over.
TIPS:
- We recommend a rule that whenever the game ends, the referee then faces the winner, or the loser.
- This game can be played with both players working together to translate the squares (collaborating and helping each other), or as a timed challenge (if students are more confident) to translate all 6/9 squares individually with the fastest time.

FLUENCY CARDS
Students alternate the role of player and referee.
Played like FASTER, students create sentences in Target Language to match the content of the stimulus grid. There is a mixture of text and pictures in order to help create more varied & multi-modal connections to the lexical items and structures being studied.

THINGS IN COMMON
This activity works like the final SURVEY activity, but focuses on asking clozed questions, such as "do you prefer *football* or *basketball?*"
1. Students are given some time to think about their own answers to the questions.
2. Students then ask their peers the questions and make a note of any students that have matching answers (therefore 'things in common')
TIPS: Students can be given a set time to speak to as many of their peers as possible, or a race to find a certain number of people with a certain number of things in common.

TRAPDOOR
Students alternate the role of player and referee. Played like FASTER, students translate a set of sentences using the information in the table, which is chunked into several columns, as a support.

DETECTIVES & INFORMANTS
This is a collaborative class game, along the lines of **Find Someone Who**.
1. Divide the class into 2 halves.
2. One half - **the detectives**, have a grid with missing information that they need to fill in. They have one grid per team that needs filling in. This grid must stay at a central location (such as a team home base).
3. One half – **the informants** have pieces of paper with answers to questions.
4. The detectives must ask questions to the informants and then return to their home base to help their team fill in the grid.

INFORMATION GAP TASK
Without viewing the other person's table, the two students need to complete the table asking each other questions in Spanish in order to fill in the gaps.
1. Students take turns to ask each other questions and fill in the answers.
2. The game ends when both tables are fully filled in.

SURVEY
Students ask each other the key questions that have been practised throughout the unit. They then note down key information, either in English or in Spanish on their grid. As a follow-up you could ask students to write a summary of a friend's information, either in 1st or 3rd person.

UNIT 0
EPI Register Routine

¿Cómo te llamas? *What is your name?*	Me llamo *My name is*	Carlos María
¿Cómo estás hoy? *How are you today?*	Estoy bien, gracias *I am well, thanks*	
¿Qué tal? *How's it going?*		

					MASC	FEM
Hola *Hello*		**fenomenal** 😄 *great*				
Buenos días *Good morning*		**muy bien** 😊😊 *very well*			**aburrido** *bored*	**aburrida**
Buenas tardes *Good afternoon*		**bien** 🙂 *well*	**pero estoy** *but I am (feeling)*		**cansado** *tired*	**cansada**
Buenas noches *Good evening / Good night*	**hoy estoy** *today I am*	**regular** 😐 *so-so*		**bastante** *quite*	**emocionado** *excited*	**emocionada**
Adiós *Goodbye*				**un poco** *a bit*	**enfadado** *angry*	**enfadada**
De nada *You're welcome*		**mal** 😣 *(feeling) bad*	**porque estoy** *because I am (feeling)*	**muy** *very*	**enfermo** *sick*	**enferma**
Gracias *Thank you*		**muy mal** 😣😣 *(feeling) very bad*			**estresado** *stressed*	**estresada**
Mucho gusto *Nice to meet you*					**feliz** *happy*	**feliz**
Vale *OK*		**fatal** 😡 *(feeling) awful*			**nervioso** *nervous*	**nerviosa**
					tranquilo *calm*	**tranquila**
					triste *sad*	**triste**

*Author's note: **"Estoy"** means **"I am".** It is often used to talk about how you are feeling or how you are. **"Estoy mal/fatal"** should thus be translated as "I am <u>feeling</u> bad/awful"- not "I am a bad/awful person".*

UNIT 0 – FIND SOMEONE WHO – Student Cards

Me llamo Mario. Hoy estoy muy aburrido. **MARIO**	Me llamo Julio. Hoy estoy muy mal. **JULIO**	Me llamo Marina. Hoy estoy estresada. **MARINA**	Me llamo Luigi. Hoy estoy muy aburrido. **LUIGI**
Me llamo Verónica. Hoy estoy nerviosa. **VERÓNICA**	Me llamo Susana . Hoy estoy feliz. **SUSANA**	Me llamo Amparo. Hoy estoy muy tranquila. **AMPARO**	Me llamo Paloma. Hoy estoy nerviosa. **PALOMA**
Me llamo Rosita. Hoy estoy muy triste. **ROSITA**	Me llamo María Elena. Hoy estoy muy cansada. **MARÍA ELENA**	Me llamo Pedro. Hoy estoy fatal. **PEDRO**	Me llamo Marta. Hoy estoy feliz. **MARTA**
Me llamo Dino. Hoy estoy muy emocionado. **DINO**	Me llamo Carlos. Hoy estoy fenomenal. **CARLOS**	Me llamo Pablo. Hoy estoy muy bien. **PABLO**	Me llamo David. Hoy no estoy triste. **DAVID**

UNIT 0 – FIND SOMEONE WHO – Student Grid

	Find someone who...	Name
1.	...is very bored today.	
2.	...is nervous.	
3.	...is very tired.	
4.	...is feeling great.	
5.	...is feeling very calm.	
6.	...is feeling stressed.	
7.	...is feeling very excited.	
8.	...is feeling happy.	
9.	...is feeling awful.	
10.	...is feeling very sad.	
11.	...is feeling very bad.	
12.	...is feeling very well.	
13.	...is a red herring! 🐟 (No match)	

UNIT 0 – ORAL PING PONG – Person A

ENGLISH 1	SPANISH 1
I am very well today.	Hoy estoy muy bien.
I am tired.	
I am nervous today.	Hoy estoy nervioso.
I am stressed.	
I am feeling great today.	Hoy estoy fenomenal.
I am feeling bad.	
I am feeling so-so today.	Hoy estoy regular.
I am happy.	
I am sad today.	Hoy estoy triste.
I am very excited.	

UNIT 0 – ORAL PING PONG – Person B

ENGLISH	SPANISH
I am very well today.	
I am tired.	Estoy cansado.
I am nervous today.	
I am stressed.	Estoy estresado.
I am feeling great today.	
I am feeling bad.	Estoy mal.
I am feeling so-so today.	
I am happy.	Estoy feliz.
I am sad today.	
I am very excited.	Estoy muy emocionado.

No Snakes No Ladders

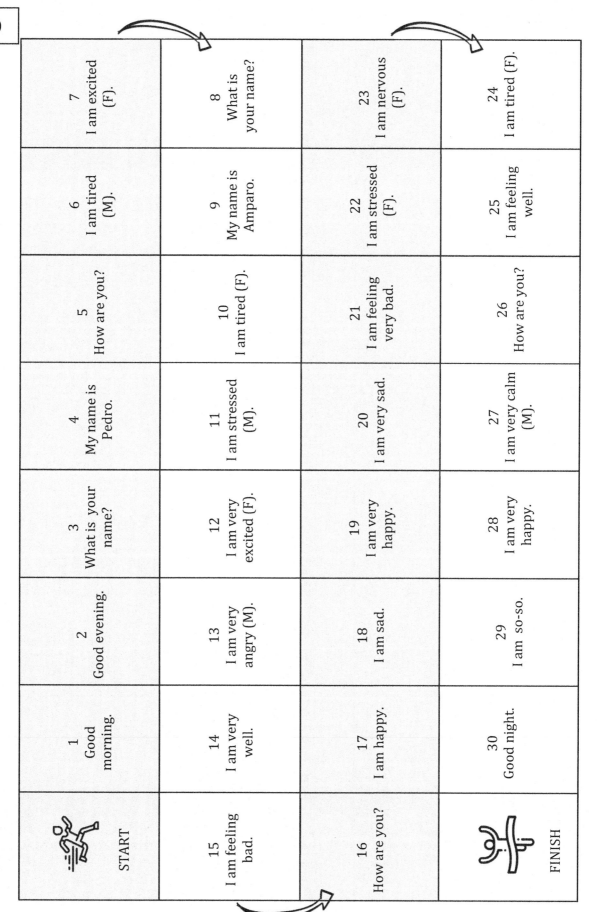

START	1 Good morning.	2 Good evening.	3 What is your name?	4 My name is Pedro.	5 How are you?	6 I am tired (M).	7 I am excited (F).
15 I am feeling bad.	14 I am very well.	13 I am very angry (M).	12 I am very excited (F).	11 I am stressed (M).	10 I am tired (F).	9 My name is Amparo.	8 What is your name?
16 How are you?	17 I am happy.	18 I am sad.	19 I am very happy.	20 I am very sad.	21 I am feeling very bad.	22 I am stressed (F).	23 I am nervous (F).
FINISH	30 Good night.	29 I am so-so.	28 I am very happy.	27 I am very calm (M).	26 How are you?	25 I am feeling well.	24 I am tired (F).

THE LANGUAGE GYM

7

No Snakes No Ladders

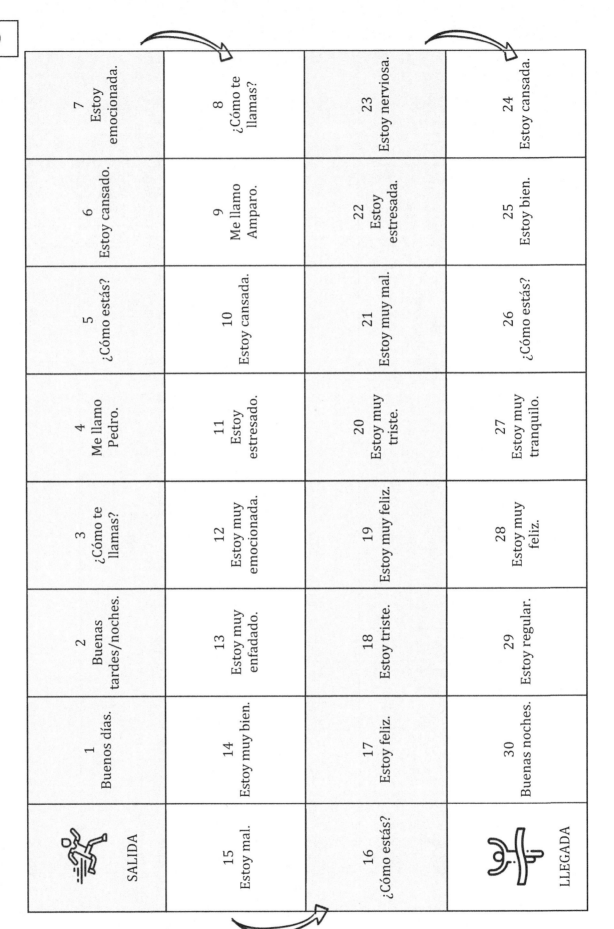

SALIDA	1 Buenos días.	2 Buenas tardes/noches.	3 ¿Cómo te llamas?	4 Me llamo Pedro.	5 ¿Cómo estás?	6 Estoy cansado.	7 Estoy emocionada.
15 Estoy mal.	14 Estoy muy bien.	13 Estoy muy enfadado.	12 Estoy muy emocionada.	11 Estoy estresado.	10 Estoy cansada.	9 Me llamo Amparo.	8 ¿Cómo te llamas?
16 ¿Cómo estás?	17 Estoy feliz.	18 Estoy triste.	19 Estoy muy feliz.	20 Estoy muy triste.	21 Estoy muy mal.	22 Estoy estresada.	23 Estoy nerviosa.
LLEGADA	30 Buenas noches.	29 Estoy regular.	28 Estoy muy feliz.	27 Estoy muy tranquilo.	26 ¿Cómo estás?	25 Estoy bien.	24 Estoy cansada.

THE LANGUAGE GYM

8

UNIT 0 – STAIRCASE TRANSLATION

Good morning.

Good morning. My name is Pedro.

Good morning. My name is Pedro. Today I am very well.

Good morning. My name is Pedro. Today I am very well because I am happy.

Good morning. My name is Pedro. Today I am very well because I am happy and calm.

* Good morning. My name is Pedro. Today I am very well because I am happy and calm. How are you?

* Translate the
last step here:

 # UNIT 0 – FASTER!

Say:
1. Good morning.
2. How are you?
3. I am very well. And you?
4. Thank you.
5. I am happy and calm.
6. Today I am feeling great.
7. What is your name?
8. My name is Felipe.
9. Today I am angry.
10. Good night.

	Time	Mistakes	Referee's name
1			
2			
3			
4			

UNIT 0 – FAST & FURIOUS – Version 1

1. Hola, _____ fenomenal pero estoy un _____ cansado.
   Hi, I am feeling great but I am a bit tired.

2. _____ días, estoy muy bien _____ estoy feliz.
   Good morning, I am very well because I am happy.

3. Buenas _____. Estoy mal porque estoy muy _____.
   Good evening. I am feeling bad because I am very sad.

4. Hola. Estoy _____ pero estoy un poco _____.
   I am well but I am a bit bored.

5. Buenos _____. Estoy _____ _____ porque estoy muy _____.
   Good morning. I am feeling very bad because I am very nervous.

	Time 1	Time 2	Time 3	Time 4
Time				
Mistakes				

UNIT 0 – FAST & FURIOUS – Version 2

1. Hola, _____ bien porque estoy _____.
   Hi, I am feeling well because I am calm.

2. Buenas _____. Estoy fatal porque estoy muy _____.
   Good evening. I am feeling awful because I am very angry.

3. _____ días, estoy _____ porque estoy feliz.
   Good morning, I am feeling great because I am happy.

4. Hola. Estoy _____ porque estoy un poco _____.
   Hi, I am so-so because I am a bit tired.

5. Buenos _____. Estoy _____ _____ porque estoy _____.
   Good morning. I am feeling very bad because I am stressed.

	Time 1	Time 2	Time 3	Time 4
Time				
Mistakes				

 THE LANGUAGE GYM

UNIT 0 – COMMUNICATIVE DRILLS

1	2	3
Hi. My name is Pedro. What is your name? - My name is Dylan. **How are you today, Dylan?** - Today I am well. I am happy. And you?	**Good morning. My name is Paco. What is your name?** - My name is Marta. **How are you today, Marta?** - Today I am not well. I am tired and bored. And you?	**Good evening. My name is Susana. What is your name?** - My name is Alejandro. **How are you today, Alejandro?** - Today I am very well. I am very calm. And you?
4	**5**	**6**
Good morning. My name is Roberto. What is your name? - My name is Inés. **How are you today, Inés?** - Today I am very well. I am very excited. And you?	**Good afternoon. My name is Barbara. What is your name?** - My name is Arantxa. **How are you today, Arantxa?** - Today I am not well. I am very sad. And you?	**Hi. My name is Marco. What is your name?** - My name is Ana. **How are you today, Ana?** - Today I am so-so. I am a bit bored. And you?
7	**8**	**9**
Hi. My name is Isabel. What is your name? - My name is Felipe. **How are you today, Felipe?** - Today I am not well. I am very nervous. And you, Isabel?	**Good evening. My name is Fernando. What is your name?** - My name is Antonio. **How are you today, Antonio?** - Today I am feeling great. I am very happy. And you?	**Hi. My name is Gabriel. What is your name?** - My name is Luciano. **How are you today, Luciano?** - Today I am so-so because I am a bit tired. And you?

UNIT 0 – COMMUNICATIVE DRILLS
REFEREE CARD

1	2	3
Hola. Me llamo Pedro. **¿Cómo te llamas?** - Me llamo Dylan . **¿Cómo estás hoy, Dylan?** - Hoy estoy bien. Estoy feliz. ¿Y tú?	**Buenos días. Me llamo Paco.** **¿Cómo te llamas?** - Me llamo Marta. **¿Cómo estás hoy, Marta?** - Hoy no estoy bien. Estoy cansada y aburrida. ¿Y tú?	**Buenas tardes. Me llamo Susana. ¿Cómo te llamas?** - Me llamo Alejandro. **¿Cómo estás hoy, Alejandro?** - Hoy estoy muy bien. Estoy muy tranquilo. ¿Y tú?
4	5	6
Buenos días. Me llamo Roberto. ¿Cómo te llamas? - Me llamo Inés. **¿Cómo estás hoy, Inés?** - Hoy estoy muy bien. Estoy muy emocionada. ¿Y tú?	**Buenas tardes. Me llamo Barbara. ¿Cómo te llamas?** - Me llamo Arantxa. **¿Cómo estás hoy, Arantxa?** - Hoy no estoy bien. Estoy muy triste. ¿Y tú?	**Hola. Me llamo Marco.** **¿Cómo te llamas?** - Me llamo Ana. **¿Cómo estás hoy, Ana?** - Hoy estoy regular. Estoy un poco aburrida. ¿Y tú?
7	8	9
Hola. Me llamo Isabel. **¿Cómo te llamas?** - Me llamo Felipe. **¿Cómo estás hoy, Felipe?** - Hoy no estoy bien. Estoy muy nervioso. ¿Y tú, Isabel?	**Buenas tardes. Me llamo Fernando. ¿Cómo te llamas?** - Me llamo Antonio. **¿Cómo estás hoy, Antonio?** - Hoy estoy fenomenal. Estoy muy feliz. ¿Y tú?	**Hola. Me llamo Gabriel. ¿Cómo te llamas?** - Me llamo Luciano. **¿Cómo estás hoy, Luciano?** - Hoy estoy regular porque estoy un poco cansado. ¿Y tú?

THE LANGUAGE GYM

UNIT 0 – SURVEY

	What is your name?	How are you today?	Why?
	¿Cómo te llamas?	¿Cómo estás hoy?	¿Por qué?
e.g.	Me llamo Pablo.	Hoy estoy muy bien.	Porque estoy feliz.
1.			
2.			
3.			
4.			
5.			
6.			
7.			
8.			
9.			

UNIT 0 – ANSWERS

FIND SOMEONE WHO

	Find someone who...	Name
1.	...is very bored today.	Mario / Luigi
2.	...is nervous.	Verónica / Paloma
3.	...is very tired.	María Elena
4.	...is feeling great.	Carlos
5.	...is feeling very calm.	Amparo
6.	...is feeling stressed.	Marina
7.	...is feeling very excited.	Dino
8.	...is feeling happy.	Susana / Marta
9.	...is feeling awful.	Pedro
10.	...is feeling very sad.	Rosita
11.	...is feeling very bad.	Julio
12.	...is feeling very well.	Pablo
13.	...is a red herring! 🐟 (No match)	David

STAIRCASE TRANSLATION

Buenos días. Me llamo Pedro. Hoy estoy muy bien porque estoy feliz y tranquilo. ¿Cómo estás?

FASTER!

REFEREE SOLUTION

1. Buenos días.
2. ¿Cómo estás?
3. Estoy muy bien. ¿Y tú?
4. Gracias.
5. Estoy feliz y tranquilo/a.
6. Hoy estoy fenomenal.
7. ¿Cómo te llamas?
8. Me llamo Felipe.
9. Hoy estoy enfadado/a.
10. Buenas noches.

FAST & FURIOUS

VERSION 1

1. Hola, **estoy** fenomenal pero estoy un **poco** cansado.
2. **Buenos** días, estoy muy bien **porque** estoy feliz.
3. Buenas **tardes**. Estoy mal porque estoy muy **triste**.
4. Hola. Estoy **bien** pero estoy un poco **aburrido/a**.
5. Buenos **días**. Estoy **muy mal** porque estoy muy **nervioso/a.**

VERSION 2

1. Hola, **estoy** bien porque estoy **tranquilo/a**.
2. Buenas **tardes**. Estoy fatal porque estoy muy **enfadado/a**.
3. **Buenos** días, estoy **fenomenal** porque estoy feliz.
4. Hola. Estoy **regular** porque estoy un poco **cansado/a**.
5. Buenos **días**. Estoy **muy mal** porque estoy **estresado/a.**

 **THE LANGUAGE GYM**

UNIT 1
Talking about my age

INSTRUCTIONS FOR ALL GAMES ARE ON PAGES 1-2

¿Cómo te llamas?	What is your name?
¿Cuántos años tienes?	How old are you?
¿Cómo se llama tu hermano/a?	What is your brother's/sister's name?
¿Cuántos años tiene?	How old is he/she?

Me llamo *My name is*				tengo *I have**	un	1	año *year*
Mi hermano *My brother* Mi hermana *My sister*	se llama *is called*	Alejandro Antonio Arantxa Belén Carlos Diego Emilia Felipe Isabel José Julián María Paco Roberto	y *and*	tiene *he/she has***	dos tres cuatro cinco seis siete ocho nueve diez once doce trece catorce quince dieciséis	2 3 4 5 6 7 8 9 10 11 12 13 14 15 16	años *years*

Soy hijo único *I am an only child (m)*   **Soy hija única** *I am an only child (f)*

Author's note:

* The number "uno" becomes "un" when it goes before a masculine noun. E.g. "Tengo un hermano".

** In Spanish, we use the verb "to have" for age. So, we say "tengo diez años" to say how old we are, even though it means, literally "I have ten years". There are a few Latin languages (e.g. Italian/French) that do this :D

UNIT 1 – FIND SOMEONE WHO – Student Cards

Me llamo Mario. Tengo diez años. **MARIO**	Me llamo Julio. Tengo seis años. **JULIO**	Me llamo Marina. Tengo catorce años. **MARINA**	Me llamo Carla. Tengo cuatro años. **CARLA**
Me llamo Verónica. Tengo cinco años. **VERÓNICA**	Me llamo Susana. Tengo siete años. **SUSANA**	Me llamo Amparo. Tengo ocho años. **AMPARO**	Me llamo Belén. Tengo once años. **BELÉN**
Me llamo Rosita. Tengo nueve años. **ROSITA**	Me llamo María. Tengo cuatro años. **MARÍA**	Me llamo Pedro. Tengo once años. **PEDRO**	Me llamo Diego. Tengo nueve años. **DIEGO**
Me llamo Dino. Tengo quince años. **DINO**	Me llamo Carlos. Tengo trece años. **CARLOS**	Me llamo Pablo. Tengo doce años. **PABLO**	Me llamo Paco. Tengo ocho años. **PACO**

UNIT 1 – FIND SOMEONE WHO – Student Grid

Find someone who...		Name
¿Cómo te llamas? *What is your name?* **¿Cuántos años tienes?** *How old are you?*		
1.	...is twelve.	
2.	...is thirteen.	
3.	...is ten.	
4.	...is eight.	
5.	...is fourteen.	
6.	...is five.	
7.	...is seven.	
8.	...is fifteen.	
9.	...is four.	
10.	...is six.	
11.	...is nine.	
12.	...is eleven.	

 **THE LANGUAGE GYM**

UNIT 1 – ORAL PING PONG – Person A

ENGLISH 1	SPANISH 1	ENGLISH 2	SPANISH 2
I am very well today.	Hoy estoy muy bien.	I am so-so today.	Hoy estoy regular.
I am not very well.		I am very well.	
I am fifteen.	Tengo quince años.	I am thirteen.	Tengo trece años.
How old are you?		My brother is twelve.	
My sister is eleven.	Mi hermana tiene once años.	My brother is called Alejandro.	Mi hermano se llama Alejandro.
How old are you?		My sister is fifteen.	
My sister is called Arantxa.	Mi hermana se llama Arantxa.	I am eleven.	Tengo once años.
My brother is called Diego.		My name is Emilia.	
I am fourteen.	Tengo catorce años.	My sister is two.	Mi hermana tiene dos años.
I am five.		What is your name?	

UNIT 1 – ORAL PING PONG – Person B

ENGLISH 1	SPANISH 1	ENGLISH 2	SPANISH 2
I am very well today.		I am so-so today.	
I am not very well.	No estoy muy bien.	I am very well.	Estoy muy bien.
I am fifteen.		I am thirteen.	
How old are you?	¿Cuántos años tienes?	My brother is twelve.	Mi hermano tiene doce años.
My sister is eleven.		My brother is called Alejandro.	
How old are you?	¿Cuántos años tienes?	My sister is fifteen.	Mi hermana tiene quince años.
My sister is called Arantxa.		I am eleven.	
My brother is called Diego.	Mi hermano se llama Diego.	My name is Emilia.	Me llamo Emilia.
I am fourteen.		My sister is two.	
I am five.	Tengo cinco años.	What is your name?	¿Cómo te llamas?

No Snakes No Ladders

START	1 Good morning.	2 How old are you?	3 What is your name?	4 How old is your brother?	5 I am fifteen.	6 I am six.	7 My brother is called Paco.
15 I am fourteen.	14 How old are you?	13 What is your name?	12 Good afternoon.	11 How are you?	10 I am fourteen.	9 My sister is called María.	8 My brother is twelve.
16 My sister is called Arantxa.	17 My sister is eleven.	18 How old are you?	19 How old is your sister?	20 I am seven.	21 How old are you?	22 What is your name?	23 How old is your brother?
FINISH	30 I am nine.	29 I am ten.	28 My brother is fourteen.	27 How old is your brother?	26 How are you?	25 I am fifteen.	24 I am six.

THE LANGUAGE GYM

No Snakes No Ladders

7 Mi hermano se llama Paco.	6 Tengo seis años.	5 Tengo quince años.	4 ¿Cuántos años tiene tu hermano?	3 ¿Cómo te llamas?	2 ¿Cuántos años tienes?	1 Buenos días. SALIDA
8 Mi hermano tiene doce años.	9 Mi hermana se llama María.	10 Tengo catorce años.	11 ¿Cómo estás?	12 Buenas tardes.	13 ¿Cómo te llamas?	14 ¿Cuántos años tienes?
23 ¿Cuántos años tiene tu hermano?	22 ¿Cómo te llamas?	21 ¿Cuántos años tienes?	20 Tengo siete años.	19 ¿Cuántos años tiene tu hermana?	18 ¿Cuántos años tienes?	17 Mi hermana tiene once años.
24 Tengo seis años.	25 Tengo quince años.	26 ¿Cómo estás?	27 ¿Cuántos años tiene tu hermano?	28 Mi hermano tiene catorce años.	29 Tengo diez años.	30 Tengo nueve años.
						15 Tengo catorce años.
						16 Mi hermana se llama Arantxa.
						LLEGADA

UNIT 1 – STAIRCASE TRANSLATION

Good morning.

Good morning. How are you?

Good morning. How are you? My name is Paco.

Good morning. How are you? My name is Paco. I am 15.

Good morning. How are you? My name is Paco. I am 15. My sister is called Amparo...

* Good morning. How are you? My name is Paco. I am 15. My sister is called Amparo and she is fourteen.

* Translate the
last step here:

⏱ UNIT 1 – FASTER! 🚀

Say:
1. My name is Carlos.
2. Today I am feeling great.
3. I am twelve.
4. My sister is called Belén.
5. My brother is called Roberto.
6. Belén is fourteen.
7. Roberto is nine.
8. How are you?
9. What is your name?
10. How old are you?

	Time	Mistakes	Referee's name
1			
2			
3			
4			

THE LANGUAGE GYM

UNIT 1 – COMMUNICATIVE DRILLS

1	2	3
What is your name? - My name is Carlos. **How are you today, Carlos?** - Very well. I am happy. **How old are you?** - I am twelve. And you? **I am thirteen.**	**What is your name?** - My name is Alejandro. **How are you today, Alejandro?** - I am so-so. I am a bit tired. **How old are you?** - I am thirteen. And you? **I am eleven.**	**What is your name?** - My name is Marina. **How are you today, Marina?** - I am well but I am a bit nervous. **How old are you?** - I am ten. And you? **I am fourteen.**
4	**5**	**6**
What is your name? - My name is Julián. **How old are you?** - I am fifteen **What is your brother's name?** - His name is Felipe. **How old is your brother?** - He is ten. How old are you?	**What is your name?** - My name is Arantxa. **How old are you?** - I am thirteen. **What is your sister's name?** - Her name is Conchita. **How old is your sister?** - She is eight. How old are you?	**What is your name?** - My name is Pedro. **How old are you?** - I am eight. **What is your brother's name?** - His name is Rafa. **How old is your brother?** - He is fourteen.
7	**8**	**9**
Hi. My name is Cisco. I am fifteen. What is your name? - Hi. My name is Susana. How are you today, Cisco? **I am well. I am quite excited. And you?** - I am so-so. I am a bit tired.	**Hi. My name is Lorena. I am ten. What is your name?** - Hi. My name is Consuelo. How are you today, Lorena? **I am very well. I am very happy. And you?** - I am so-so. I am a bit sad.	**Hi. My name is Ana. I am twelve. What is your name?** - Hi. My name is Sergio. How are you today, Ana? **I am not well. I am a bit ill. And you?** - I am well. I am a bit tired but well.

UNIT 1 – COMMUNICATIVE DRILLS
REFEREE CARD

1	2	3
¿Cómo te llamas? - Me llamo Carlos. **¿Cómo estás hoy, Carlos?** - Muy bien. Estoy feliz. **¿Cuántos años tienes?** - Tengo doce años. ¿Y tú? **Tengo trece años.**	**¿Cómo te llamas?** - Me llamo Alejandro. **¿Cómo estás hoy, Alejandro?** - Estoy regular. Estoy un poco cansado. **¿Cuántos años tienes?** - Tengo trece años. ¿Y tú? **Tengo once años.**	**¿Cómo te llamas?** - Me llamo Marina. **¿Cómo estás hoy, Marina?** - Estoy bien pero estoy un poco nerviosa. **¿Cuántos años tienes?** - Tengo diez años. ¿Y tú? **Tengo catorce años.**
4	**5**	**6**
¿Cómo te llamas? - Me llamo Julián. **¿Cuántos años tienes?** - Tengo quince años. **¿Cómo se llama tu hermano?** - Se llama Felipe. **¿Cuántos años tiene tu hermano?** - Tiene diez años. ¿Cuántos años tienes?	**¿Cómo te llamas?** - Me llamo Arantxa. **¿Cuántos años tienes?** - Tengo trece años. **¿Cómo se llama tu hermana?** - Se llama Conchita. **¿Cuántos años tiene tu hermana?** - Tiene ocho años.	**¿Cómo te llamas?** - Me llamo Pedro. **¿Cuántos años tienes?** - Tengo ocho años. **¿Cómo se llama tu hermano?** - Se llama Rafa. **¿Cuántos años tiene tu hermano?** - Tiene catorce años.
7	**8**	**9**
Hola. Me llamo Cisco. Tengo quince años. ¿Cómo te llamas? - Hola. Me llamo Susana. ¿Cómo estás hoy, Cisco? **Estoy bien. Estoy bastante emocionado. ¿Y tú?** - Estoy regular. Estoy un poco cansada.	**Hola. Me llamo Lorena. Tengo diez años. ¿Cómo te llamas?** - Hola. Me llamo Consuelo. ¿Cómo estás hoy, Lorena? **Estoy muy bien. Estoy muy feliz. ¿Y tú?** - Estoy regular. Estoy un poco triste.	**Hola. Me llamo Ana. Tengo doce años. ¿Cómo te llamas?** - Hola. Me llamo Sergio. ¿Cómo estás hoy, Ana? **No estoy bien. Estoy un poco enferma. ¿Y tú?** - Estoy bien. Estoy un poco cansado pero bien.

UNIT 1 – SURVEY

	What is your name?	How old are you?	What are your siblings called?	How old is...?	How old is...?
	¿Cómo te llamas?	¿Cuántos años tienes?	¿Cómo se llaman tus hermanos?	¿Cuántos años tiene...?	¿Cuántos años tiene...?
e.g.	Me llamo Pedro.	Tengo once años.	Mi hermano se llama Paco y mi hermana se llama Carmen.	Carmen tiene dieciséis años.	Paco tiene quince años.
1					
2					
3					
4					
5					
6					
7					

UNIT 1 – ANSWERS

FIND SOMEONE WHO

Find someone who...		Name
1.	...is twelve	Pablo
2.	...is thirteen	Carlos
3.	...is ten	Mario
4.	...is eight	Amparo / Paco
5.	...is fourteen	Marina
6.	...is five	Verónica
7.	...is seven	Susana
8.	...is fifteen	Dino
9.	...is four	Carla / María
10.	...is six	Julio
11.	...is nine	Diego / Rosita
12.	...is eleven	Belén / Pedro

STAIRCASE TRANSLATION

Buenos días. ¿Cómo estás? Me llamo Paco. Tengo quince años. Mi hermana se llama Amparo y tiene catorce años.

FASTER!

REFEREE SOLUTION:
1. Me llamo Carlos.
2. Hoy estoy fenomenal.
3. Tengo doce años.
4. Mi hermana se llama Belén.
5. Mi hermano se llama Roberto.
6. Belén tiene catorce años.
7. Roberto tiene nueve años.
8. ¿Cómo estás?
9. ¿Cómo te llamas?
10. ¿Cuántos años tienes?

UNIT 2
Saying when my birthday is

¿Cómo te llamas?	*What is your name?*
¿De dónde eres?	*Where are you from?*
¿Cuándo es tu cumpleaños?	*When is your birthday?*
¿De dónde es tu ... ?	*Where is your ... from?*
¿Cuándo es su cumpleaños?	*When is his/her birthday?*

Me llamo José *My name is José*	**soy de Madrid** *I am from Madrid* ***tengo X años** *I am X years old*	**y** *and* **mi cumpleaños es el** *my birthday is the*	1 - uno / primero 2 - dos 3 - tres 4 - cuatro 5 - cinco 6 - seis 7 - siete 8 - ocho 9 - nueve 10 - diez 11 - once 12 - doce 13 - trece 14 - catorce 15 - quince 16 - dieciséis 17 - diecisiete 18 - dieciocho 19 - diecinueve 20 - veinte 21 - veintiuno 22 - veintidós 23 - veintitrés 24 - veinticuatro 25 - veinticinco 26 - veintiséis 27 - veintisiete 28 - veintiocho 29 - veintinueve 30 - treinta 31 - treinta y uno	**de** *of*	**enero** *January* **febrero** **marzo** **abril** **mayo** **junio** **julio** **agosto** **septiembre** **octubre** **noviembre** **diciembre**
Mi amiga se llama Catalina *My friend is called Catalina* **Mi amigo se llama Francisco** *My friend is called Francisco*	**es de Bilbao** *he/she is from Bilbao* ***tiene X años** *he/she is X years old*	**y** *and* **su cumpleaños es el** *his/her birthday is the*			

Author's note: **Don't forget! "Tengo/Tiene" actually means "I have" and "he/she has" in Spanish. You use this verb for telling age. You will see it many times throughout this booklet!* ☺

UNIT 2 – FIND SOMEONE WHO – Student Cards

Me llamo Sofía. Mi cumpleaños es el doce de marzo. **SOFÍA**	Me llamo Camila. Mi cumpleaños es el quince de junio. **CAMILA**	Me llamo Mateo. Mi cumpleaños es el trece de abril. **MATEO**	Me llamo Alejandro. Mi cumpleaños es el trece de septiembre. **ALEJANDRO**
Me llamo Valentina. Mi cumpleaños es el treinta de diciembre. **VALENTINA**	Me llamo Ana. Mi cumpleaños es el cinco de febrero. **ANA**	Me llamo Santiago. Mi cumpleaños es el uno de noviembre. **SANTIAGO**	Me llamo Enrique. Mi cumpleaños es el tres de mayo. **ENRIQUE**
Me llamo Isabella. Mi cumpleaños es el cuatro de agosto. **ISABEL**	Me llamo Daniel. Mi cumpleaños es el diecisiete de mayo. **DANIEL**	Me llamo Leonardo. Mi cumpleaños es el dieciséis de octubre. **LEONARDO**	Me llamo Felipe. Mi cumpleaños es el seis de agosto. **FELIPE**
Me llamo María. Mi cumpleaños es el catorce de febrero. **MARÍA**	Me llamo Lucas. Mi cumpleaños es el doce de enero. **LUCAS**	Me llamo Sebastián. Mi cumpleaños es el trece de julio. **SEBASTIÁN**	Me llamo Paco. Mi cumpleaños es el once de octubre. **PACO**

UNIT 2 – FIND SOMEONE WHO – Student Grid

	Find someone whose birthday is in...	Name(s)
1.	...January	
2.	...February	
3.	... March	
4.	...April	
5.	...May	
6.	...June	
7.	...July	
8.	...August	
9.	...September	
10.	...October	
11.	...November	
12.	...December	

UNIT 2 – ORAL PING PONG – Person A

ENGLISH 1	SPANISH 1	ENGLISH 2	SPANISH 2
I am from Madrid.	Soy de Madrid.	My birthday is on 20th October.	Mi cumpleaños es el veinte de octubre.
I am not very well.		When is your birthday?	
My male friend is called Samuel.	Mi amigo se llama Samuel.	I am 13. My birthday is on 6th June.	Tengo trece años. Mi cumpleaños es el seis de junio.
How old are you?		My brother is 12. His birthday is on 13th April.	
My female friend is called Catalina.	Mi amiga se llama Catalina.	My friend is 15. Her birthday is on 20th June.	Mi amiga tiene quince años. Su cumpleaños es el veinte de junio.
When is your birthday?		My brother is 10. His birthday is on 15th August.	
My birthday is on 5th May.	Mi cumpleaños es el cinco de mayo.	I am eleven. My birthday is on 31st May.	Tengo once años. Mi cumpleaños es el treinta y uno de mayo.
His birthday is on 11th March.		I am 6. My birthday is on 19th September.	
I am from Bilbao.	Soy de Bilbao.	I am 9. My birthday is on 21st July.	Tengo nueve años. Mi cumpleaños es el veintiuno de julio.
My birthday is on 15th June.		When is his/her birthday?	

UNIT 2 – ORAL PING PONG – Person B

ENGLISH 1	SPANISH 1	ENGLISH 2	SPANISH 2
I am from Madrid.		My birthday is on 20th October.	
I am not very well.	No estoy muy bien.	When is your birthday?	¿Cuándo es tu cumpleaños?
My male friend is called Samuel.		I am 13. My birthday is on 6th June.	
How old are you?	¿Cuántos años tienes?	My brother is 12. His birthday is on 13th April.	Mi hermano tiene doce años. Su cumpleaños es el trece de abril.
My female friend is called Catalina.		My friend is 15. Her birthday is on 20th June.	
When is your birthday?	¿Cuándo es tu cumpleaños?	My brother is 10. His birthday is on 15th August.	Mi hermano tiene diez años. Su cumpleaños es el quince de agosto.
My birthday is on 5th May.		I am eleven. My birthday is on 31st May.	
His birthday is on 11th March.	Mi cumpleaños es el once de marzo.	I am 6. My birthday is on 19th September.	Tengo seis años. Mi cumpleaños es el diecinueve de septiembre.
I am from Bilbao.		I am 9. My birthday is on 21st July.	
My birthday is on 15th June.	Mi cumpleaños es el quince de junio.	When is his/her birthday?	¿Cuándo es su cumpleaños?

 THE LANGUAGE GYM

29

No Snakes No Ladders

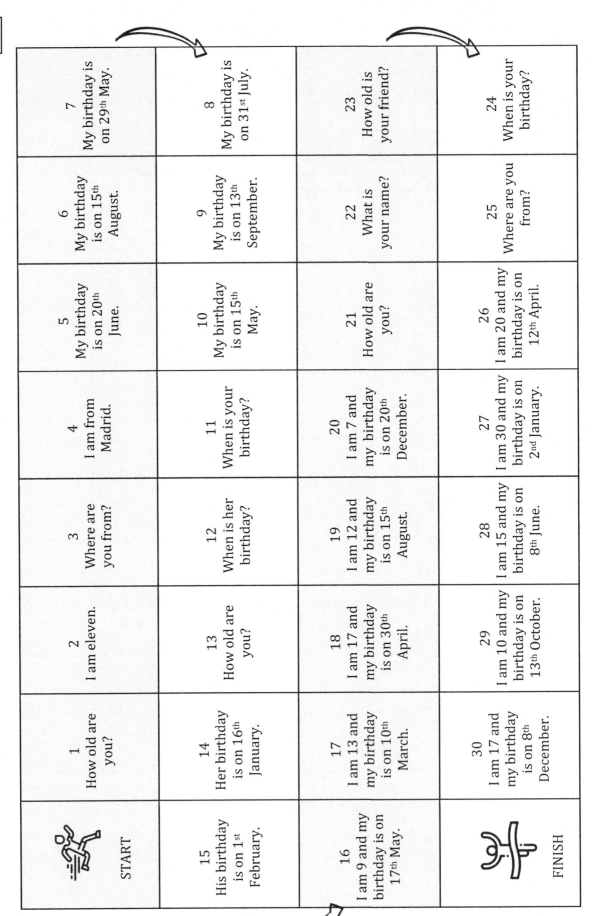

7 My birthday is on 29th May.

6 My birthday is on 15th August.

5 My birthday is on 20th June.

4 I am from Madrid.

3 Where are you from?

2 I am eleven.

1 How old are you?

8 My birthday is on 31st July.

9 My birthday is on 13th September.

10 My birthday is on 15th May.

11 When is your birthday?

12 When is her birthday?

13 How old are you?

14 Her birthday is on 16th January.

23 How old is your friend?

22 What is your name?

21 How old are you?

20 I am 7 and my birthday is on 20th December.

19 I am 12 and my birthday is on 15th August.

18 I am 17 and my birthday is on 30th April.

17 I am 13 and my birthday is on 10th March.

24 When is your birthday?

25 Where are you from?

26 I am 20 and my birthday is on 12th April.

27 I am 30 and my birthday is on 2nd January.

28 I am 15 and my birthday is on 8th June.

29 I am 10 and my birthday is on 13th October.

30 I am 17 and my birthday is on 8th December.

15 His birthday is on 1st February.

START

16 I am 9 and my birthday is on 17th May.

FINISH

No Snakes No Ladders

SALIDA	1 ¿Cuántos años tienes?	2 Tengo once años.	3 ¿De dónde eres?	4 Soy de Madrid.	5 Mi cumpleaños es el veinte de junio.	6 Mi cumpleaños es el quince de agosto.	7 Mi cumpleaños es el veintinueve de mayo.
15 Su cumpleaños es el uno de febrero.	14 Su cumpleaños es el dieciséis de enero.	13 ¿Cuántos años tienes?	12 ¿Cuándo es su cumpleaños?	11 ¿Cuándo es tu cumpleaños?	10 Mi cumpleaños es el quince de mayo.	9 Mi cumpleaños es el trece de septiembre.	8 Mi cumpleaños es el treinta y uno julio.
16 Tengo nueve años y mi cumpleaños es el diecisiete de mayo.	17 Tengo trece años y mi cumpleaños es el diez de marzo.	18 Tengo diecisiete años y mi cumpleaños es el treinta de abril.	19 Tengo doce años y mi cumpleaños es el quince de agosto.	20 Tengo siete años y mi cumpleaños es el veinte de diciembre.	21 ¿Cuántos años tienes?	22 ¿Cómo te llamas?	23 ¿Cuántos años tiene tu amigo?
LLEGADA	30 Tengo diecisiete años y mi cumpleaños es el ocho de diciembre.	29 Tengo diez años y mi cumpleaños es el trece de octubre.	28 Tengo quince años y mi cumpleaños es el ocho de junio.	27 Tengo treinta años y mi cumpleaños es el dos de enero.	26 Tengo veinte años y mi cumpleaños es el doce de abril.	25 ¿De dónde eres?	24 ¿Cuándo es tu cumpleaños?

THE LANGUAGE GYM

UNIT 2 – STAIRCASE TRANSLATION

Hello. How are you?

Hello. How are you? My name is Julio.

Hello. How are you? My name is Julio. I am from Madrid.

Hello. How are you? My name is Julio. I am from Madrid. I am 11.

Hello. How are you? My name is Julio. I am from Madrid. I am 11. My birthday is on 31st January. And you?

* Hello how are you? My name is Julio. I am from Madrid. I am 11. My birthday is on 31st January. And you? What is your name? Where are you from? How old are you? When is your birthday?

* Translate the
last step here:

 UNIT 2 – FASTER!

Say:

1. My name is Carlos.
2. Today I am well.
3. I am eleven.
4. I am from Madrid.
5. My birthday is on 20th June.
6. I have a brother, Roberto.
7. Roberto is nine.
8. His birthday is on 10th July.
9. How are you?
10. How old are you?
11. Where are you from?
12. When is your birthday?

	Time	Mistakes	Referee's name
1			
2			
3			
4			

UNIT 2 – TRAPDOOR – Version 1

Ana Catalina Dino Francisco Marina Paco Susana	tiene	dos tres cinco ocho diez	once doce trece catorce quince	años	su cumpleaños es el	dos tres cinco siete nueve once dieciséis veinte	de	enero febrero marzo junio julio agosto octubre diciembre

1. Ana is five years old. Her birthday is on 3rd July.
2. Dino is fifteen years old. His birthday is on 16th December.
3. Paco is eight years old. His birthday is on 2nd August.
4. Marina is thirteen years old. Her birthday is on 20th January.
5. Susana is three years old. Her birthday is on 7th June.
6. Catalina is ten years old. Her birthday is on 9th March.
7. Francisco is twelve years old. His birthday is on 11th October.

	Time 1	Time 2	Time 3	Time 4
Time				
Mistakes				

UNIT 2 – TRAPDOOR – Version 2

Alejandro Andrea Casandra Daniel Luisa Pablo Paloma	tiene	dos tres cuatro seis siete	nueve once trece catorce quince	años	su cumpleaños es el	cuatro seis ocho diez quince dieciséis veintiuno treinta	de	enero febrero abril junio julio agosto septiembre noviembre

1. Alejandro is eleven years old. His birthday is on 6th April.
2. Andrea is nine years old. Her birthday is on 10th September.
3. Casandra is fourteen years old. Her birthday is on 21st January.
4. Daniel is six years old. His birthday is on 16th November.
5. Luisa is fifteen years old. Her birthday is on 8th February.
6. Pablo is seven years old. His birthday is on 4th August.
7. Paloma is eleven years old. Her birthday is on 30th September.

	Time 1	Time 2	Time 3	Time 4
Time				
Mistakes				

 **THE LANGUAGE GYM**

UNIT 2 – COMMUNICATIVE DRILLS

1	2	3
What is your name? - My name is Marta. **Where are you from?** - I am from Madrid. **How old are you?** - I am ten. **When is your birthday?** - My birthday is on 15th August.	**What is your name?** - My name is Susana. **Where are you from?** - I am from Bilbao. **How old are you?** - I am thirteen. **When is your birthday?** - My birthday is on 20th June.	**What is your name?** - My name is Sonia. **Where are you from?** - I am from Valencia. **How old are you?** - I am sixteen. **When is your birthday?** - My birthday is on 1st January.
4	**5**	**6**
What is your name? - My name is Felipe. **Where are you from?** - I am from Barcelona. **How old are you?** - I am twelve. **When is your birthday?** - My birthday is on 21st July.	**What is your name?** - My name is Alejandro. **Where are you from?** - I am from Granada. **How old are you?** - I am eleven. **When is your birthday?** - My birthday is on 16th September.	**What is your name?** - My name is Luisa. **Where are you from?** - I am from Mérida. **How old are you?** - I am nine. **When is your birthday?** - My birthday is on 11th June.
7	**8**	**9**
What is your name? - My name is Jaime. **Where are you from?** - I am from Cádiz. **How old are you?** - I am eight. **When is your birthday?** - My birthday is on 19th October.	**What is your name?** - My name is Sam. **Where are you from?** - I am from Toledo. **How old are you?** - I am thirteen. **When is your birthday?** - My birthday is on 18th May.	**What is your name?** - My name is María. **Where are you from?** - I am from Salamanca. **How old are you?** - I am twenty seven. **When is your birthday?** - My birthday is on 5th April.

UNIT 2 - COMMUNICATIVE DRILLS
REFEREE CARD

1	2	3
¿Cómo te llamas?	**¿Cómo te llamas?**	**¿Cómo te llamas?**
- Me llamo Marta.	- Me llamo Susana	- Me llamo Sonia.
¿De dónde eres?	**¿De dónde eres?**	**¿De dónde eres?**
- Soy de Madrid.	- Soy de Bilbao.	- Soy de Valencia.
¿Cuántos años tienes?	**¿Cuántos años tienes?**	**¿Cuántos años tienes?**
- Tengo diez años.	- Tengo trece años.	- Tengo dieciséis años.
¿Cuándo es tu cumpleaños?	**¿Cuándo es tu cumpleaños?**	**¿Cuándo es tu cumpleaños?**
- Mi cumpleaños es el 15 de agosto.	- Mi cumpleaños es el veinte de junio.	- Mi cumpleaños es el uno de enero.
4	**5**	**6**
¿Cómo te llamas?	**¿Cómo te llamas?**	**¿Cómo te llamas?**
- Me llamo Felipe.	- Me llamo Alejandro.	- Me llamo Luisa.
¿De dónde eres?	**¿De dónde eres?**	**¿De dónde eres?**
- Soy de Barcelona.	- Soy de Granada.	- Soy de Mérida.
¿Cuántos años tienes?	**¿Cuántos años tienes?**	**¿Cuántos años tienes?**
- Tengo doce años.	- Tengo once años.	- Tengo nueve años.
¿Cuándo es tu cumpleaños?	**¿Cuándo es tu cumpleaños?**	**¿Cuándo es tu cumpleaños?**
- Mi cumpleaños es el veintiuno de julio.	- Mi cumpleaños es el dieciséis de septiembre.	- Mi cumpleaños es el once de junio.
7	**8**	**9**
¿Cómo te llamas?	**¿Cómo te llamas?**	**¿Cómo te llamas?**
- Me llamo Jaime.	- Me llamo Sam.	- Me llamo María.
¿De dónde eres?	**¿De dónde eres?**	**¿De dónde eres?**
- Soy de Cádiz.	- Soy de Toledo.	- Soy de Salamanca.
¿Cuántos años tienes?	**¿Cuántos años tienes?**	**¿Cuántos años tienes?**
- Tengo ocho años.	- Tengo trece años.	- Tengo veintisiete años.
¿Cuándo es tu cumpleaños?	**¿Cuándo es tu cumpleaños?**	**¿Cuándo es tu cumpleaños?**
- Mi cumpleaños es el diecinueve de diciembre.	- Mi cumpleaños es el dieciocho de mayo.	- Mi cumpleaños es el cinco de abril.

UNIT 2 – SURVEY

	What is your name?	How are you today?	How old are you?	When is your birthday?	Where are you from?
	¿Cómo te llamas?	¿Cómo estás hoy?	¿Cuántos años tienes?	¿Cuándo es tu cumpleaños?	¿De dónde eres?
e.g.	Me llamo Susana.	Estoy muy bien gracias.	Tengo diez años.	Mi cumpleaños es el cinco de mayo.	Soy de Bilbao.
1					
2					
3					
4					
5					
6					
7					

THE LANGUAGE GYM

UNIT 2 – ANSWERS

FIND SOMEONE WHO

Find someone whose birthday is in...	Name(s)
1.	...January	Lucas
2.	...February	María / Ana
3.	... March	Sofía
4.	...April	Mateo
5.	...May	Enrique / Daniel
6.	...June	Camila
7.	...July	Sebastián
8.	...August	Felipe / Isabel
9.	...September	Alejandro
10.	...October	Paco / Leonardo
11.	...November	Santiago
12.	...December	Valentina

STAIRCASE TRANSLATION

Hola. ¿Cómo estás? Me llamo Julio. Soy de Madrid. Tengo once años. Mi cumpleaños es el treinta y uno de enero. ¿Y tú? ¿Cómo te llamas? ¿De dónde eres? ¿Cuántos años tienes? ¿Cuándo es tu cumpleaños?

FASTER!

REFEREE SOLUTION:

1. Me llamo Carlos.
2. Hoy estoy bien.
3. Tengo once años.
4. Soy de Madrid.
5. Mi cumpleaños es el veinte de junio.
6. Tengo un hermano, Roberto.
7. Roberto tiene nueve años.
8. Su cumpleaños es el diez de julio.
9. ¿Cómo estás?
10. ¿Cuántos años tienes?
11. ¿De dónde eres?
12. ¿Cuándo es tu cumpleaños?

TRAPDOOR

VERSION 1

1. Ana tiene cinco años. Su cumpleaños es el tres de julio.
2. Dino tiene quince años. Su cumpleaños es el dieciséis de diciembre.
3. Paco tiene ocho años. Su cumpleaños es el dos de agosto.
4. Marina tiene trece años. Su cumpleaños es el veinte de enero.
5. Susana tiene tres años. Su cumpleaños es el siete de junio.
6. Catalina tiene diez años. Su cumpleaños es el nueve de marzo.
7. Francisco tiene doce años. Su cumpleaños es el once de octubre.

VERSION 2

1. Alejandro tiene once años. Su cumpleaños es el seis de abril.
2. Andrea tiene nueve años. Su cumpleaños es el diez de septiembre.
3. Casandra tiene catorce años. Su cumpleaños es el veintiuno de enero.
4. Daniel tiene seis años. Su cumpleaños es el dieciséis de noviembre.
5. Luisa tiene quince años. Su cumpleaños es el ocho de febrero.
6. Pablo tiene siete años. Su cumpleaños es el cuatro de agosto.
7. Paloma tiene once años. Su cumpleaños es el treinta de septiembre.

 **THE LANGUAGE GYM**

UNIT 3
Saying where I live and am from

INSTRUCTIONS FOR ALL GAMES ARE ON PAGES 1-2

¿Cómo te llamas?	*What is your name?*
¿Dónde vives?	*Where do you live?*
¿De dónde eres?	*Where are you from?*

	vivo en *I live in*	**una casa** *a house*	**bonita** *pretty* **fea** *ugly* **grande** *big* **pequeña** *small*	**en el centro** *in the centre*
		un piso *a flat*	**en un edificio antiguo** *in an old building* **en un edificio moderno** *in a modern building*	**en la costa** *on the coast* **en las afueras** *on the outskirts*
Me llamo David y *My name is David and*	**soy de** *I am from*	Barcelona	en Cataluña (en España)	*northwest region of Spain*
		Bilbao	en el País Vasco (en España)	*northern region of Spain*
		Bogotá	en Colombia (la capital)	*capital of Colombia*
		Buenos Aires	en Argentina (la capital)	*capital of Argentina*
		Cádiz	en Andalucía (en España)	*south of Spain*
		Cartagena	en Colombia (en la costa)	*coast of Colombia*
		La Habana	en Cuba (la capital)	*capital of Cuba*
		Lima	en Perú (la capital)	*capital of Peru*
		Madrid	en España (la capital)	*capital of Spain*
		Quito	en Ecuador (la capital)	*capital of Ecuador*
		Santiago	en Chile (la capital)	*capital of Chile*
		Montevideo	en Uruguay (la capital)	*capital of Uruguay*
		Zaragoza	en Aragón (en España)	*northern region of Spain*

THE LANGUAGE GYM

UNIT 3 – FIND SOMEONE WHO – Student Cards

Vivo en una casa bonita en el centro de Cartagena. **MANUEL**	Vivo en una casa fea en el centro de Montevideo. **ANDRÉS**	Vivo en un edificio moderno en la costa, en Cataluña. **LUCÍA**	Vivo en una casa fea en las afueras de Barcelona. **MIGUEL**
Vivo en una casa grande en las afueras de Madrid. **ALEJANDRO**	Vivo en una casa muy pequeña en las afueras de Quito. **TOMÁS**	Vivo en una casa pequeña en Zaragoza. **MARTINA**	Vivo en un piso pequeño en la costa de Alicante. **DIEGO**
Vivo en una casa bonita en la costa, cerca de Cádiz. **JAIME**	Vivo en una casa pequeña en La Habana en Cuba. **NATALIA**	Vivo en un piso grande en un edificio antiguo en las afueras de Buenos Aires. **GABRIELA**	Vivo en una casa muy pequeña en Santiago de Compostela. **DAISY**
Vivo en un piso bonito en Lima. **RAFAEL**	Vivo en una casa grande y fea en Bilbao, en el País Vasco. **ADRIANA**	Vivo en una casa grande y bonita en el centro de Barcelona. **VICTORIA**	Vivo en una casa interesante en Valencia, en España. **MANOLO**

UNIT 3 – FIND SOMEONE WHO – Student Grid

Find someone who...	Name(s)
¿Cómo te llamas? *What is your name?* **¿Dónde vives?** *Where do you live?* **¿Cómo es tu casa?** *What is your house like?*	
1. ...lives in a big and pretty house.	
2. ...lives in Lima.	
3. ...lives in a very small house.	
4. ...lives in a small flat on the coast.	
5. ...lives on the outskirts of Madrid.	
6. ...lives in an ugly house in the centre of town.	
7. ...lives in an old building.	
8. ...lives in a big house on the outskirts.	
9. ...lives in Cartagena.	
10. ...lives in a small house in Cuba.	
11. ...lives near Cádiz.	
12. ...lives in a modern building.	
13. ...is a red herring! 🐟 (No match)	

UNIT 3 – ORAL PING PONG – Person A

ENGLISH 1	SPANISH 1	ENGLISH 2	SPANISH 2
What is your name?	¿Cómo te llamas?	**I live in a flat.**	Vivo en un piso.
My name is David.		**I live in a house.**	
Where do you live?	¿Dónde vives?	**I live in a big house.**	Vivo en una casa grande.
Where are you from?		**I live in a small house.**	
I am from Cartagena.	Soy de Cartagena.	**I live in an old building.**	Vivo en un edificio antiguo.
I am from Spain.		**I live in a modern building.**	
I am from Montevideo.	Soy de Montevideo.	**I live in an ugly house.**	Vivo en una casa fea.
I am from the capital of Argentina.		**I live in a pretty house.**	
I live in Bilbao.	Vivo en Bilbao.	**I live in a house on the outskirts.**	Vivo en una casa en las afueras.
I live in a house.		**I live in a house in the centre.**	

UNIT 3 – ORAL PING PONG – Person B

ENGLISH 1	SPANISH 1	ENGLISH 2	SPANISH 2
What is your name?		I live in a flat.	
My name is David.	Me llamo David.	I live in a house.	Vivo en una casa.
Where do you live?		I live in a big house.	
Where are you from?	¿De dónde eres?	I live in a small house.	Vivo en una casa pequeña.
I am from Cartagena.		I live in an old building.	
I am from Spain.	Soy de España.	I live in a modern building.	Vivo en un edificio moderno.
I am from Montevideo.		I live in an ugly house.	
I am from the capital of Argentina.	Soy de la capital de Argentina.	I live in a pretty house.	Vivo en una casa bonita.
I live in Bilbao.		I live in a house on the outskirts.	
I live in a house.	Vivo en una casa.	I live in a house in the centre.	Vivo en una casa en el centro.

No Snakes No Ladders

7 I am twelve and am from Cuba.	**6** I am from the capital of Uruguay.	**5** I am from Madrid.	**4** I am from Spain.	**3** I am from Argentina.	**2** Where are you from?	**1** What is your name?
8 I am 13 and am from Barcelona.	**9** Where are you from?	**10** Where do you live?	**11** I live in a house.	**12** I live in a flat.	**13** How old are you?	**14** When is your birthday?
23 My name is Paco. I am 12, I live in Sevilla in Spain.	**22** I am 17. I am from Valencia. I live in a flat in the centre.	**21** How old are you?	**20** Where do you live?	**19** Where are you from?	**18** I am from Bilbao. I live in a big house on the outskirts.	**17** I am from Cuba. I live in a small house on the coast.
24 I am 18. I live in an ugly flat on the outskirts.	**25** I am 16. I live in an old building in the centre.	**26** Where are you from? Where do you live?	**27** I am 19. I live in a pretty house on the coast.	**28** I am 14. I live in a big flat in a modern building on the coast.	**29** I am 11. I live in Barcelona in a big house in the centre.	**30** I am 14. I live in Santiago in a big flat in the centre.
					15 I am 17. I live in Cartagena.	START
					16 I am 10. I live in a big house in Cádiz.	FINISH

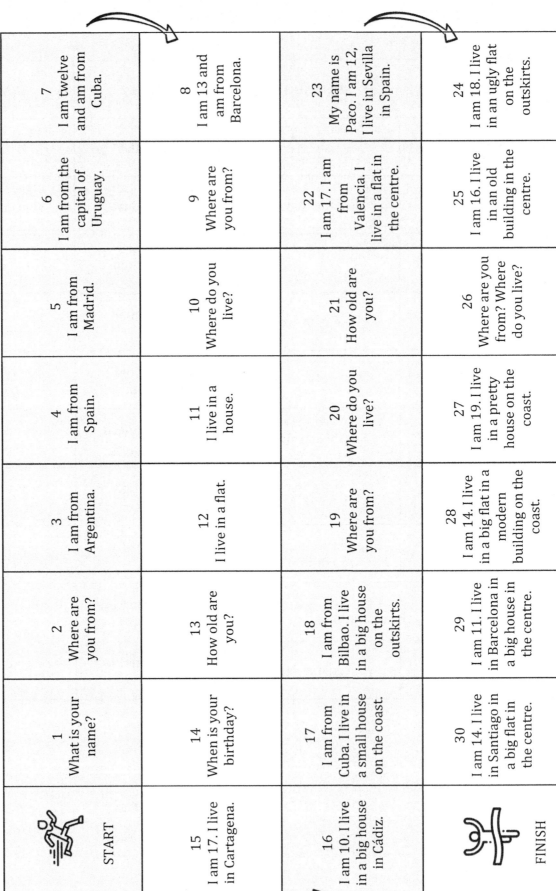

No Snakes No Ladders

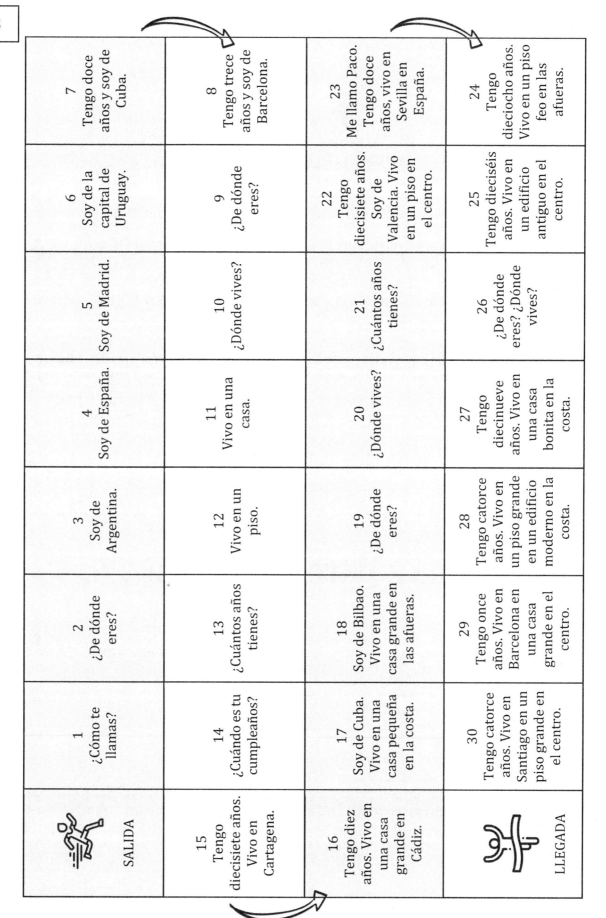

7 Tengo doce años y soy de Cuba.	**6** Soy de la capital de Uruguay.	**5** Soy de Madrid.	**4** Soy de España.	**3** Soy de Argentina.	**2** ¿De dónde eres?	**1** ¿Cómo te llamas?
8 Tengo trece años y soy de Barcelona.	**9** ¿De dónde eres?	**10** ¿Dónde vives?	**11** Vivo en una casa.	**12** Vivo en un piso.	**13** ¿Cuántos años tienes?	**14** ¿Cuándo es tu cumpleaños?
23 Me llamo Paco. Tengo doce años, vivo en Sevilla en España.	**22** Tengo diecisiete años. Soy de Valencia. Vivo en un piso en el centro.	**21** ¿Cuántos años tienes?	**20** ¿Dónde vives?	**19** ¿De dónde eres?	**18** Soy de Bilbao. Vivo en una casa grande en las afueras.	**17** Soy de Cuba. Vivo en una casa pequeña en la costa.
24 Tengo dieciocho años. Vivo en un piso feo en las afueras.	**25** Tengo dieciséis años. Vivo en un edificio antiguo en el centro.	**26** ¿De dónde eres? ¿Dónde vives?	**27** Tengo diecinueve años. Vivo en una casa bonita en la costa.	**28** Tengo catorce años. Vivo en un piso grande en un edificio moderno en la costa.	**29** Tengo once años. Vivo en Barcelona en una casa grande en el centro.	**30** Tengo catorce años. Vivo en Santiago en un piso grande en el centro.

SALIDA

15 Tengo diecisiete años. Vivo en Cartagena.

16 Tengo diez años. Vivo en una casa grande en Cádiz.

LLEGADA

THE LANGUAGE GYM

43

UNIT 3 – STAIRCASE TRANSLATION

Hi. My name is Juan.

Hi. My name is Juan. I am twelve.

Hi. My name is Juan. I am twelve. I am from La Habana, the capital of Cuba.

Hi. My name is Juan. I am twelve. I am from La Habana, the capital of Cuba. I live in a small house...

Hi. My name is Juan. I am twelve. I am from La Habana, the capital of Cuba. I live in a small house on the outskirts.

* Hi. My name is Juan. I am twelve. I am from La Habana, the capital of Cuba. I live in a small house on the outskirts. And you? How are you? Where are you from? Where do you live?

* Translate the
last step here:

UNIT 3 – FASTER!

Say:
1. I live in a small house.
2. I live in a big and pretty house.
3. I live on the outskirts of Madrid.
4. I live in a big house in the centre.
5. I live in a small flat on the coast.
6. I live in a big house in Barcelona.
7. I live in a flat in a modern building.
8. I live in a small flat in an old building.
9. I live in a big and ugly house.
10. I live in a small and pretty flat.

	Time	Mistakes	Referee's name
1			
2			
3			
4			

UNIT 3 – INFORMATION GAP TASK

Use these questions to find out the missing information from your partner.

1. ¿Cuántos años tiene _____?   *How old is _____ ?*
2. ¿Cuándo es el cumpleaños de _____?   *When is _____'s birthday?*
3. ¿_____vive en un piso o en una casa?   *Does _____ live in a flat or a house?*
4. ¿Cómo es su piso/casa?   *What is his flat/house like?*
5. ¿En qué ciudad vive _____?   *What city does _____ live in?*
6. ¿De qué país es _____?   *What country is _____ from?*

PARTNER 1					
Name	**Age**	**Birthday**	**Accommodation**	**City/Town**	**Country**
David	15		Small house	Madrid	
Marina		13ᵗʰ June			Spain
Juan	14		Big flat	Cartagena	
Paco	12	20ᵗʰ August			Argentina
Susana		1ˢᵗ September	Beautiful house		Peru

PARTNER 2					
Name	**Age**	**Birthday**	**Accommodation**	**City/Town**	**Country**
David		12ᵗʰ March			Spain
Marina	9		Small flat	Bilbao	
Juan		9ᵗʰ January			Colombia
Paco			Modern house	Buenos Aires	
Susana	13			Lima	

UNIT 3 – COMMUNICATIVE DRILLS

1	2	3
Where are you from? - I am from Bilbao. **Where do you live?** - I live in Barcelona. **Do you live in house or a flat?** - I live in a big house in the centre of Barcelona.	**Where are you from?** - I am from Santiago, in Chile. **Where do you live?** - I live in Madrid. **Do you live in house or a flat?** - I live in a big flat on the outskirts of Madrid.	**Where are you from?** - I am from Bogota, Colombia. **Where do you live?** - I live in Cadiz, in Spain. **Do you live in house or a flat?** - I live in a small house on the coast.
4	5	6
Where are you from? - I am from Valencia, Spain. **Where do you live?** - I live in Valencia. **Do you live in house or a flat?** - I live in a nice flat in an old building in the centre.	**Where are you from?** - I am from Quito, Ecuador. **Where do you live?** - I live in Zaragoza, Spain. **Do you live in house or a flat?** - I live in a small flat on the outskirts.	**Where are you from?** - I am from Vallalolid, Spain. **Where do you live?** - I live in Sevilla. **Do you live in house or a flat?** - I live in an ugly flat in an old building in the centre.
7	8	9
Where are you from? - I am from Granada, Spain. **Where do you live?** - I live in Buenos Aires. **Do you live in house or a flat?** - I live in a big flat in a modern building in the centre of the city.	**Where are you from?** - I am from Madrid, Spain **Where do you live?** - I live in Marbella. **Do you live in house or a flat?** - I live in a big and beautiful house on the coast.	**Where are you from?** - I am from Lima, Peru. **Where do you live?** - I live in Santiago, Chile. **Do you live in house or a flat?** - I live in a small and ugly flat on the outskirts of the city.

UNIT 3 – COMMUNICATIVE DRILLS
REFEREE CARD

1	2	3
¿De dónde eres? - Soy de Bilbao. **¿Dónde vives?** - Vivo en Barcelona. **¿Vives en una casa o en un piso?** - Vivo en una casa grande en el centro de Barcelona.	**¿De dónde eres?** - Soy de Santiago, en Chile. **¿Dónde vives?** - Vivo en Madrid. **¿Vives en una casa o en un piso?** - Vivo en un piso grande en las afueras de Madrid.	**¿De dónde eres?** - Soy de Bogotá, en Colombia. **¿Dónde vives?** - Vivo en Cádiz, en España. **¿Vives en una casa o en un piso?** - Vivo en una casa pequeña en la costa.
4	**5**	**6**
¿De dónde eres? - Soy de Valencia, en España. **¿Dónde vives?** - Vivo en Valencia **¿Vives en una casa o en un piso?** - Vivo en un piso bonito en un edificio antiguo en el centro.	**¿De dónde eres?** - Soy de Quito, en Ecuador. **¿Dónde vives?** - Vivo en Zaragoza, España. **¿Vives en una casa o en un piso?** - Vivo en un piso pequeño en las afueras.	**¿De dónde eres?** - Soy de Valladolid, en España. **¿Dónde vives?** - Vivo en Sevilla. **¿Vives en una casa o en un piso?** - Vivo en un piso feo en un edificio antiguo en el centro.
7	**8**	**9**
¿De dónde eres? - Soy de Granada, en España. **¿Dónde vives?** - Vivo en Buenos Aires. **¿Vives en una casa o en un piso?** - Vivo en un piso grande en un edificio moderno en el centro de la ciudad.	**¿De dónde eres?** - Soy de Madrid, en España. **¿Dónde vives?** - Vivo en Marbella. **¿Vives en una casa o en un piso?** - Vivo en una casa grande y bonita en la costa.	**¿De dónde eres?** - Soy de Lima, en Perú. **¿Dónde vives?** - Vivo en Santiago, en Chile. **¿Vives en una casa o en un piso?** - Vivo en un piso pequeño y feo en las afueras de la ciudad.

UNIT 3 – SURVEY

	How are you today?	How old are you?	When is your birthday?	Where are you from?	Where do you live?
	¿Cómo estás hoy?	¿Cuántos años tienes?	¿Cuándo es tu cumpleaños?	¿De dónde eres?	¿Dónde vives?
e.g.	*Estoy muy bien gracias.*	*Tengo doce años.*	*Mi cumpleaños es el quince de marzo.*	*Soy de Barcelona.*	*Vivo en una casa grande en el centro.*
1					
2					
3					
4					
5					
6					
7					

THE LANGUAGE GYM

UNIT 3 – ANSWERS

FIND SOMEONE WHO

Find someone who...		Name(s)
1.	...lives in a big and pretty house.	Victoria
2.	...lives in Lima.	Rafael
3.	...lives in a very small house.	Daisy/Tomás
4.	...lives in a small flat on the coast.	Diego
5.	...lives on the outskirts of Madrid.	Alejandro
6.	...lives in an ugly house in the centre of town.	Andrés
7.	...lives in an old building.	Gabriela
8.	...lives in a big house on the outskirts.	Alejandro
9.	...lives in Cartagena.	Manuel
10.	...lives in a small house in Cuba.	Natalia
11.	...lives near Cádiz.	Jaime
12.	...lives in a modern building.	Lucía
13.	...is a red herring! ≈≈< (No match)	Adriana/Manolo

STAIRCASE TRANSLATION

Hola. Me llamo Juan. Tengo doce años. Soy de La Habana, la capital de Cuba. Vivo en una casa pequeña en las afueras. ¿Y tú? ¿Cómo estás? ¿De dónde eres? ¿Dónde vives?

FASTER!

REFEREE SOLUTION:

1. Vivo en una casa pequeña.
2. Vivo en una casa grande y bonita.
3. Vivo en las afueras de Madrid.
4. Vivo en una casa grande en el centro.
5. Vivo en un piso pequeño en la costa.
6. Vivo en una casa grande en Barcelona.
7. Vivo en un piso en un edificio moderno.
8. Vivo en un piso pequeño en un edificio antiguo.
9. Vivo en una casa grande y fea.
10. Vivo en un piso pequeño y bonito.

INFORMATION GAP TASK

Name	Age	Birthday	Accommodation	City/Town	Country
David	15	12 March	Small house	Madrid	Spain
Marina	9	13 June	Small flat	Bilbao	Spain
Juan	14	9 January	Big flat	Cartagena	Colombia
Paco	12	20 August	Modern house	Buenos Aires	Argentina
Susana	13	1st September	Beautiful house	Lima	Peru

UNIT 4
Things I like/dislike:
school subjects & teachers

INSTRUCTIONS
FOR ALL GAMES
ARE ON **PAGES 1-2**

¿Qué asignaturas estudias?	*What subjects do you study?*
¿Cuál (no) te gusta? ¿Por qué?	*Which one do you (not) like? Why?*
¿Te gusta el español? ¿Por qué?	*Do you like Spanish? Why?*

En el colegio estudio *At school I study*	alemán / ciencias / historia / etc.

Me gusta *I like* **No me gusta** *I don't like*	**el**	**alemán** **arte** **español** **francés** **inglés**	*German* *art* *Spanish* *French* *English*		**es** *it is*	**aburrido** *boring* **agotador** *tiring* **complicado** *complicated* **divertido** *fun* **fácil** *easy* **interesante** *interesting* **útil** *useful*
A mi amigo/a le gusta *My friend likes* **A mi amigo/a no le gusta** *My friend does not like*	**la**	**educación física** *PE* **geografía** *geography* **historia** *history* **informática** *ICT* **química** *chemistry* **religión** *RE*	**pero** *but* **porque** *because*	**no es** *it is not*	**aburrida** **agotadora** **complicada** **divertida** **fácil** **interesante** **útil**
***Me gustan** *I like* **No me gustan** *I don't like*	**las**	**ciencias** **lenguas** **matemáticas**		**son** *are*	**aburridas** **agotadoras** **complicadas** **divertidas** **fáciles** **interesantes** **útiles**

Además,	**me encanta** *I love it* **me gusta** *I like it*	**porque**	**aprendo mucho** *I learn a lot*			
			es útil para el futuro *it is useful for the future*			
			tengo amigos en clase *I have friends in class*			
			el profesor es *the teacher (m) is* **la profesora es** *the teacher (f) is*	**bastante** *quite* **muy** *very* **un poco** *a bit*	**antipático/a** *mean* **bueno/a** *good* **gracioso/a** *funny* **paciente** *patient* **simpático/a** *nice*

***Author's note :** If the noun being liked is a singular noun, we use **gusta** (3rd person singular of **gustar**).
If the noun being liked is a plural noun, we use **gustan** (3rd person plural of **gustar**).*

*e.g.   • Me gust**a** <u>el inglés</u> (singular)   • Me gust**an** <u>las ciencias</u> (plural)*

UNIT 4 – FIND SOMEONE WHO – Student Cards

Me gusta el alemán. No me gusta el arte. **CARLOS**	Me gustan las matemáticas. No me gusta la historia. **ANTONIO**	Me gusta el francés. No me gusta la educación física. **LAURA**	Me gusta el arte y me gustan las lenguas. **MARTINA**
Me gusta el español. No me gusta la historia. **MIGUEL**	Me gusta la informática. No me gusta la química. **JUAN**	Me gusta la religión No me gusta el arte. **MÍA**	Me gustan las matemáticas. No me gusta la química. **JORGE**
Me gusta el inglés y también me gusta la informática. **JOSÉ**	Me gusta la informática. No me gustan las ciencias. **ELENA**	Me gustan las ciencias. No me gusta la historia. **JULIA**	Me gusta la historia. No me gustan las ciencias. **LUCÍA**
Me gusta la química. No me gusta el alemán. **FERNANDO**	Me encanta el español. No me gustan las ciencias. **CARLA**	Me gustan las lenguas. No me gusta el arte. **AURORA**	Me gusta la geografía. No me gusta la religión. **ALBA**

UNIT 4 – FIND SOMEONE WHO – Student Grid

	Find someone who...	Name
1.	...likes maths.	
2.	...likes French.	
3.	...likes German.	
4.	...likes history.	
5.	...likes geography.	
6.	...doesn't like German.	
7.	...likes languages.	
8.	...likes religion.	
9.	...likes chemistry.	
10.	...doesn't like PE.	
11.	...likes ICT.	
12.	...loves Spanish.	
13.	...is a red herring! 🐟 (No match)	

UNIT 4 – ORAL PING PONG – Person A

ENGLISH 1	SPANISH 1	ENGLISH 2	SPANISH 2
I don't like German because it is boring.	No me gusta el alemán porque es aburrido.	I don't like French because it is tiring.	No me gusta el francés porque es agotador.
I like French because it is fun.		I don't like PE because it is tiring and boring.	
My friend likes geography because it is interesting.	A mi amigo le gusta la geografía porque es interesante.	I like chemistry because it is fun and interesting.	Me gusta la química porque es divertida e interesante.
I like chemistry because it is fun.		I don't like maths because it is boring and complicated.	
I like ICT because it is useful.	Me gusta la informática porque es útil.	I like science but it is complicated.	Me gustan las ciencias pero son complicadas.
My friend doesn't like art because it is complicated.		I like PE but it is tiring.	
My friend doesn't like history because it is boring.	A mi amigo no le gusta la historia porque es aburrida.	My friend likes French but it is difficult.	A mi amigo le gusta el francés pero es difícil.
I like history because it is interesting.		I like ICT because the teacher is good.	
I don't like chemistry because it is complicated.	No me gusta la química porque es complicada.	I like English because it is useful.	Me gusta el inglés porque es útil.
I like Spanish because it is fun.		I like German but it isn't easy.	

UNIT 4 – ORAL PING PONG – Person B

ENGLISH 1	SPANISH 1	ENGLISH 2	SPANISH 2
I don't like German because it is boring.		I don't like French because it is tiring.	
I like French because it is fun.	Me gusta el francés porque es divertido.	I don't like PE because it is tiring and boring.	No me gusta la educación física porque es agotadora y aburrida.
My friend likes geography because it is interesting.		I like chemistry because it is fun and interesting.	
I like chemistry because it is fun.	Me gusta la química porque es divertida.	I don't like maths because it is boring and complicated.	No me gustan las matemáticas porque son aburridas y complicadas.
I like ICT because it is useful.		I like science but it is complicated.	
My friend doesn't like art because it is complicated.	A mi amigo no le gusta el arte porque es complicado.	I like PE but it is tiring.	Me gusta le educación física pero es agotadora.
My friend doesn't like history because it is boring.		My friend likes French but it is difficult.	
I like history because it is interesting.	Me gusta la historia porque es interesante.	I like ICT because the teacher is good.	Me gusta la informática porque el profesor es bueno.
I don't like chemistry because it is complicated.		I like English because it is useful.	
I like Spanish because it is fun.	Me gusta el español porque es divertido.	I like German but it isn't easy.	Me gusta el alemán pero no es fácil.

UNIT 4

No Snakes No Ladders

7 I like ICT and Spanish.	**6** Do you like science?	**5** I like art and history.	**4** Do you like French?	**3** What do you study at school?	**2** I like geography.
8 I don't like chemistry because it is complicated.	**9** I like French because it is fun and the teacher is good.	**10** I like religion because the teacher (M) is good.	**11** I don't like science because it is boring.	**12** I like ICT because it is useful and I have friends in class.	**13** At school I study German and French.
23 Do you like music?	**22** I don't like maths because it is complicated.	**21** I like maths because it is fun and useful and the teacher (F) is good.	**20** I don't like Spanish because it is complicated.	**19** My friend (M) likes history because it is interesting.	**18** I enjoy PE but my friend (M) likes music because it is fun.
24 Do you like French? Why?	**25** What subjects do you like? Why?	**26** Why do you like PE?	**27** I like science because it is fun and interesting.	**28** My brother likes science because it is useful for the future.	**29** I like PE because I have friends in class but it is very tiring.

1 I don't like German.	START
14 I like languages because they are useful.	**15** I study science, maths and English. START
17 My friend (F) likes maths.	**16** My friend likes Spanish because he learns a lot.
30 I like maths because it is useful and interesting but it is complicated.	FINISH

UNIT 4

No Snakes No Ladders

7 Me gusta la informática y el español.	**6** ¿Te gustan las ciencias?	**5** Me gusta el arte y la historia.	**4** ¿Te gusta el francés?	**3** ¿Qué estudias en el colegio?	**2** Me gusta la geografía.	**1** No me gusta el alemán. **SALIDA**
8 No me gusta la química porque es complicada.	**9** Me gusta el francés porque es divertido y el profesor es bueno.	**10** Me gusta la religión porque el profesor es bueno.	**11** No me gustan las ciencias porque son aburridas.	**12** Me gusta la informática porque es útil y tengo amigos en clase.	**13** En el colegio estudio alemán y francés.	**14** Me gustan los idiomas porque son útiles.
23 ¿Te gusta la música?	**22** No me gustan las matemáticas porque son complicadas.	**21** Me gustan las matemáticas porque son divertidas y útiles y la profesora es buena.	**20** No me gusta el español porque es complicado.	**19** A mi amigo le gusta la historia porque es interesante.	**18** Disfruto la educación física pero a mi amigo le gusta la música porque es divertida.	**17** A mi amiga le gustan las matemáticas.
24 ¿Te gusta el francés? ¿Por qué?	**25** ¿Qué asignaturas te gustan? ¿Por qué?	**26** ¿Por qué te gusta la educación física?	**27** Me gustan las ciencias porque son divertidas e interesantes.	**28** A mi hermano le gustan las ciencias porque son útiles para el futuro.	**29** Me gusta la educación física porque tengo amigos en clase, pero es muy agotadora.	**30** Me gustan las matemáticas porque son útiles e interesantes, pero son complicadas.
						15 Estudio ciencias, matemáticas e inglés.
						16 A mi amigo le gusta el español porque aprende mucho.
						LLEGADA

UNIT 4 – STAIRCASE TRANSLATION

Hi. My name is Ana. I am from Madrid but live in Cadiz.

Hi. My name is Ana. I am from Madrid but live in Cadiz. I go to the 'instituto La Caleta'.

Hi. My name is Ana. I am from Madrid but live in Cadiz. I go to the 'instituto La Caleta'. I study English, maths, science, art, history, geography, music, PE, technology and French.

Hi. My name is Ana. I am from Madrid but live in Cadiz. I go to the 'instituto La Caleta'. I study English, maths, science, art, history, geography, music, PE, technology and French. I like languages because they are fun and useful and the teacher is good.

Hi. My name is Ana. I am from Madrid but live in Cadiz. I go to the 'instituto La Caleta'. I study English, maths, science, art, history, geography, music, PE, technology and French. I like languages because they are fun and useful and the teacher is good. I don't like science.

* Hi. My name is Ana. I am from Madrid but live in Cadiz. I go to the 'instituto La Caleta'. I study English, maths, science, art, history, geography, music, PE, technology and French. I like languages because they are fun and useful and the teacher is good. I don't like science and maths because they are boring and complicated.

* Translate the
last step here:

UNIT 4 – FASTER!

Say:

1. I study English and French.
2. I like French because it is fun.
3. I like English because it is useful.
4. I like history because it is interesting.
5. I don't like science because it is complicated.
6. I don't like maths.
7. My friend Pedro likes art.
8. He likes art because it is easy.
9. He doesn't like music because it is boring.
10. What subjects do you like? Why?

	Time	Mistakes	Referee's name
1			
2			
3			
4			

UNIT 4 – THINGS IN COMMON

	1	2	3	4	5
¿Cómo te llamas?					
¿Cuántos años tienes?					
¿En qué mes es tu cumpleaños?					
¿Vives en un piso o en una casa?					
¿Prefieres el francés o el español?					
¿Prefieres la geografía o la historia?					
¿Prefieres la informática o el inglés?					
¿Prefieres la educación física o el teatro?					
¿Cuál es tu asignatura favorita?					

UNIT 4 – COMMUNICATIVE DRILLS

1	2	3
What subjects do you like? - I like maths because it is interesting and useful. I also like science because it is fun. **What subjects do you not like?** - I don't like history because it is boring.	**What subjects do you like?** - I like Spanish because it is interesting and useful. I also like English because it is fun. **What subjects do you not like?** - I don't like science because it is tiring and boring.	**What subjects do you like?** - I like history because it is interesting and fun. I also like science because it is fun. **What subjects do you not like?** - I don't like PE because it is tiring.
4	**5**	**6**
What subjects do you like? - I like ICT it is interesting and useful and I have friends in class. **What subjects do you not like?** - I don't like history because it is boring and don't learn much.	**What subjects do you like?** - I like chemistry because it is interesting but complicated. I also like Spanish because i have friends in class and learn a lot. **What subjects do you not like?** - I don't like maths because it is boring.	**What subjects do you like?** - I like music because it is easy and fun and the teacher is good. **What subjects do you not like?** - I don't like history because it is boring and the teacher isn't good.
7	**8**	**9**
What subjects do you like? - I like French because it is interesting and fun. I also like science because I learn a lot. **What subjects do you not like?** - I don't like religion because it isn't useful for the future.	**What subjects do you like?** - I like maths because it is interesting and fun and I learn a lot in class. **What subjects do you not like?** - I don't like history because it is tiring and not very useful.	**What subjects do you like?** - I like geography because it is interesting and useful. I also like science because the teacher is good. **What subjects do you not like?** - I don't like art because it is boring and difficult.

UNIT 4 – COMMUNICATIVE DRILLS
REFEREE CARD

1	2	3
¿Qué asignaturas te gustan? - Me gustan las matemáticas porque son interesantes y útiles. También me gusta las ciencias porque son divertidas. **¿Qué asignaturas no te gustan?** - No me gusta la historia porque es aburrida.	**¿Qué asignaturas te gustan?** - Me gusta el español porque es interesante y útil. También me gusta el inglés porque es divertido. **¿Qué asignaturas no te gustan?** - No me gustan las ciencias porque son agotadoras y aburridas.	**¿Qué asignaturas te gustan?** - Me gusta la historia porque es interesante y divertida. También me gustan las ciencias porque son divertidas. **¿Qué asignaturas no te gustan?** - No me gusta la educación física porque es agotadora.
4	5	6
¿Qué asignaturas te gustan? - Me gusta la informática, es interesante y útil y tengo amigos en clase. **¿Qué asignaturas no te gustan?** - No me gusta la historia porque es aburrida y no aprendo mucho.	**¿Qué asignaturas te gustan?** - Me gusta la química porque es interesante pero complicada. También me gusta el español porque tengo amigos en clase y aprendo mucho. **¿Qué asignaturas no te gustan?** - No me gustan las matemáticas porque son aburridas.	**¿Qué asignaturas te gustan?** - Me gusta la música porque es fácil y divertida y el profesor es bueno. **¿Qué asignaturas no te gustan?** - No me gusta la historia porque es aburrida y el profesor no es bueno.
7	8	9
¿Qué asignaturas te gustan? - Me gusta el francés porque es interesante y divertido. También me gustan las ciencias porque aprendo mucho. **¿Qué asignaturas no te gustan?** - No me gusta la religión porque no es útil para el futuro.	**¿Qué asignaturas te gustan?** - Me gustan las matemáticas porque son interesantes y divertidas y aprendo mucho en clase. **¿Qué asignaturas no te gustan?** - No me gusta la historia porque es agotadora y poco útil.	**¿Qué asignaturas te gustan?** - Me gusta la geografía porque es interesante y útil. También me gustan las ciencias porque el profesor es bueno. **¿Qué asignaturas no te gustan?** - No me gusta el arte porque es aburrido y difícil.

UNIT 4 – SURVEY

	What is your name?	How old are you?	What is your school called?	What subjects do you like? Why?	What subjects do you not like? Why not?
	¿Cómo te llamas?	¿Cuántos años tienes?	¿Cómo se llama tu instituto?	¿Qué asignaturas te gustan? ¿Por qué?	¿Qué asignaturas no te gustan? ¿Por qué no?
e.g.	Me llamo Silvia.	Tengo doce años	Se llama Instituto Juan Francisco Cuentos.	Me gustan las ciencias porque son útiles.	No me gusta la historia porque es aburrida.
1.					
2.					
3.					
4.					
5.					
6.					
7.					

UNIT 4 – ANSWERS

FIND SOMEONE WHO

Find someone who...		Name
1.	...likes maths.	Antonio / Jorge
2.	...likes French.	Laura
3.	...likes German.	Carlos
4.	...likes history.	Lucía
5.	...likes geography.	Alba
6.	...doesn't like German.	Fernando
7.	...likes languages.	Aurora / Martina
8.	...likes religion.	Mía
9.	...likes chemistry.	Fernando
10.	...doesn't like PE.	Laura
11.	...likes ICT.	Juan / Elena
12.	...loves Spanish.	Carla
13.	...is a red herring! 🐟 (No match)	Miguel / Julia

STAIRCASE TRANSLATION

Hola. Me llamo Ana. Soy de Madrid pero vivo en Cádiz. Voy al instituto La Caleta. Estudio inglés, matemáticas, ciencias, arte, historia, geografía, música, educación física, tecnología y francés. Me gustan las lenguas porque son divertidas y útiles y el profesor es bueno. No me gustan las ciencias y las matemáticas porque son aburridas y complicadas.

FASTER!

REFEREE SOLUTION:

1. Estudio inglés y francés.
2. Me gusta el francés porque es divertido.
3. Me gusta el inglés porque es útil.
4. Me gusta la historia porque es interesante.
5. No me gustan las ciencias porque son complicadas.
6. No me gustan las matemáticas.
7. A mi amigo Pedro le gusta el arte.
8. Le gusta el arte porque es fácil.
9. No le gusta la música porque es aburrida.
10. ¿Qué asignaturas te gustan? ¿Por qué?

THINGS IN COMMON

Students give their own answers to the questions and make a note of which students they have things in common with.

UNIT 5
Things I like/dislike: free time

INSTRUCTIONS FOR ALL GAMES ARE ON PAGES 1-2

¿Qué te gusta hacer en tu tiempo libre?		*What do you like to do in your free time?*	

Cuando tengo tiempo *When I have free time* En mi tiempo libre *In my free time*	me encanta *I love* me gusta *I like* no me gusta *I don't like*	jugar *to play*	a la Play — *Playstation* a videojuegos — *videogames* al ajedrez — *chess* a las cartas — *cards* al baloncesto — *basketball* al fútbol — *football* al tenis — *tennis* en el ordenador — *on the computer*
		hacer *to do*	ciclismo — *cycling* deporte — *sport* equitación — *horse riding* footing — *jogging* natación — *swimming* senderismo — *hiking*
		ir *to go*	a casa de mi amigo — *to my friend's house* al centro comercial — *to the shopping mall* al gimnasio — *to the gym* al parque — *to the park* al polideportivo — *to the sports centre* a la piscina — *to the pool* de paseo — *for a walk* de pesca — *fishing*

con *with*	mi amiga Ana — *my friend Ana* mi amigo Pedro — *my friend Pedro* *mis amigos/as — *my friends*	mi hermana — *my sister* mi hermano — *my brother* mis hermanos — *my siblings*

me gusta *I like it* no me gusta *I don't like it*	porque *because*	es *it is* no es *it is not*	aburrido — *boring* agotador — *tiring* divertido — *fun* emocionante — *exciting* interesante — *interesting* saludable — *healthy*

*Author's note: Use **"mis amigos"** for a group of friends that are either **all boys, or a mix of boys & girls**. Use **"mis amigas"** for a group of friends that are made up of **girls only**.

THE LANGUAGE GYM

UNIT 5 – FIND SOMEONE WHO – Student Cards

En mi tiempo libre me encanta jugar a la Play. **IGNACIO**	En mi tiempo libre me gusta hacer senderismo. **FELIPE**	En mi tiempo libre me gusta hacer equitación. **PALOMA**	En mi tiempo libre me encanta hacer ciclismo. **BEATRIZ**
En mi tiempo libre me gusta jugar a videojuegos. **FRANCISCO**	En mi tiempo libre me gusta jugar al baloncesto. **EMILIO**	En mi tiempo libre me gusta jugar al ajedrez. **CATALINA**	En mi tiempo libre me gusta ir al centro comercial. **ANDREA**
En mi tiempo libre me encanta ir al gimnasio para hacer pesas. **GIANFRANCO**	En mi tiempo libre me encanta hacer footing en el parque. **DANIELA**	En mi tiempo libre me gusta ir a la piscina para hacer natación. **EMILIA**	En mi tiempo libre me encanta ir de paseo en el parque. **TRINI**
En mi tiempo libre me gusta ir de pesca. **GUILLERMO**	En mi tiempo libre me encanta ir de paseo en el parque. **PAOLA**	En mi tiempo libre me gusta ir al polideportivo. **DIANA**	En mi tiempo libre me gusta ir a casa de mi amigo. **CAROLINA**

UNIT 5 – FIND SOMEONE WHO – Student Grid

Find someone who...	Name(s)
¿Cómo te llamas? *What is your name?* **¿Qué te gusta hacer en tu tiempo libre?** *What do you like to do in your free time?*	
1. ...loves playing PlayStation.	
2. ...loves cycling.	
3. ...likes going to the pool to do swimming.	
4. ...likes going to the shopping centre.	
5. ...likes going to the sports centre.	
6. ...likes playing basketball.	
7. ...likes playing videogames.	
8. ...loves going for a walk in the park.	
9. ...likes going fishing.	
10. ...likes going to their friend's house.	
11. ...likes playing chess.	
12. ...likes hiking.	
13. ...loves going to the gym to do weights.	
14. ...loves to go jogging in the park.	
15. ...is a red herring! 🐟 (No match)	

UNIT 5 – ORAL PING PONG – Person A

ENGLISH 1	SPANISH 1	ENGLISH 2	SPANISH 2
In my free time I love to do cycling.	En mi tiempo libre me encanta hacer ciclismo.	In my free time I love to do jogging.	En mi tiempo libre me encanta hacer footing.
In my free time I love playing cards.		In my free time I love playing basketball.	
When I have free time I don't like to do sport.	Cuando tengo tiempo libre no me gusta hacer deporte.	When I have free time I don't like to do horse riding.	Cuando tengo tiempo libre no me gusta hacer equitación.
When I have free time I don't like to go to the swimming pool.		When I have free time I don't like to go to shopping centre.	
In my free time I like to do horse riding.	En mi tiempo libre me gusta hacer equitación.	In my free time I like to go fishing.	En mi tiempo libre me gusta ir de pesca.
In my free time I like to do jogging.		In my free time I like to do swimming.	
In my free time I like to go to the sports centre.	En mi tiempo libre me gusta ir al polideportivo.	In my free time I like to go to the park.	En mi tiempo libre me gusta ir al parque.
In my free time I like to go to the gym.		In my free time I like to play cards.	
When I have free time I like to go to my friend's house.	Cuando tengo tiempo libre me gusta ir a casa de mi amigo.	When I have free time I like to play chess with my brother.	Cuando tengo tiempo libre me gusta jugar al ajedrez con mi hermano.
When I have free time I like to go for a walk with my friends.		When I have free time I like to play video games with my sister.	

UNIT 5 – ORAL PING PONG – Person B

ENGLISH 1	SPANISH 1	ENGLISH 2	SPANISH 2
In my free time I love to do cycling.		In my free time I love to do jogging.	
In my free time I love playing cards.	En mi tiempo libre me encanta jugar a las cartas.	In my free time I love playing basketball.	En mi tiempo libre me encanta jugar al baloncesto.
When I have free time I don't like to do sport.		When I have free time I don't like to do horse riding.	
When I have free time I don't like to go to the swimming pool.	Cuando tengo tiempo libre no me gusta ir a la piscina.	When I have free time I don't like to go to shopping centre.	Cuando tengo tiempo libre no me gusta ir al centro comercial.
In my free time I like to do horse riding.		In my free time I like to go fishing.	
In my free time I like to do jogging.	En mi tiempo libre me gusta hacer footing.	In my free time I like to do swimming.	En mi tiempo libre me gusta hacer natación.
In my free time I like to go to the sports centre.		In my free time I like to go to the park.	
In my free time I like to go to the gym.	En mi tiempo libre me gusta ir al gimnasio.	In my free time I like to play cards.	En mi tiempo libre me gusta jugar a las cartas.
When I have free time I like to go to my friend's house.		When I have free time I like to play chess with my brother.	
When I have free time I like to go for a walk with my friends.	Cuando tengo tiempo libre me gusta ir de paseo con mis amigos.	When I have free time I like to play video games with my sister.	Cuando tengo tiempo libre me gusta jugar a videojuegos con mi hermana.

No Snakes No Ladders

START

1 When I have free time I go to my friend's (M) house.

2 In my free time I don't like to go swimming because it is tiring.

3 In my free time I like to play tennis because it is fun.

4 In my free time I like to play cards because it is fun.

5 When I have free time I like to play videogames.

6 What do you not like to do in your free time?

7 When I have free time I like to DO jogging.

8 In my free time I like to play basketball and I like to DO swimming.

9 When I have free time I love to go to the gym.

10 What do you **not** like to do in your free time?

11 When I have free time I like to go for a walk.

12 What do you **not** like to do in your free time?

13 In my free time I like to go fishing.

14 In my free time I like to go to the shopping centre.

15 When I have free time.

16 When I have free time.

17 When I have free time I don't like to go hiking because it it tiring.

18 When I have free time I like to go for a walk with my friends.

19 In my free time I like to go to the park with my brother.

20 When I have free time I like to play PlayStation with my best friend.

21 In my free time I like to DO jogging with my friends.

22 When I have free time I don't go to the shopping mall because it is boring.

23 When I have free time I don't go horse riding because it is boring.

24 In my free time I like to play tennis with my sister.

25 In my free time I like to go to my friend's house.

26 What do you like to do in your free time?

27 In my free time I like to play football with my brother and my friends.

28 What do you **not** like to do in your free time?

29 In my free time I like to play basketball with my friends.

30 When I have free time I like to DO cycling with my brother.

FINISH

No Snakes No Ladders

SALIDA

1 Cuando tengo tiempo libre voy a casa de mi amigo.

2 En mi tiempo libre no me gusta hacer natación porque es agotador.

3 En mi tiempo libre me gusta jugar al tenis porque es divertido.

4 En mi tiempo libre me gusta jugar a las cartas porque es divertido.

5 Cuando tengo tiempo libre me gusta jugar a videojuegos.

6 ¿Qué no te gusta hacer en tu tiempo libre?

7 Cuando tengo tiempo libre me gusta hacer footing.

8 En mi tiempo libre me gusta jugar al baloncesto y me gusta hacer natación.

9 Cuando tengo tiempo libre me encanta ir al gimnasio.

10 ¿Qué **no** te gusta hacer en tu tiempo libre?

11 Cuando tengo tiempo libre me gusta ir de paseo.

12 ¿Qué **no** te gusta hacer en tu tiempo libre?

13 En mi tiempo libre me gusta ir de pesca.

14 En mi tiempo libre me gusta ir al centro comercial.

15 Cuando tengo tiempo libre.

16 Cuando tengo tiempo libre.

17 Cuando tengo tiempo libre no me gusta hacer senderismo porque es agotador.

18 Cuando tengo tiempo libre me gusta ir de paseo con mis amigos.

19 Cuando tengo tiempo libre me gusta ir al parque con mi hermano.

20 Cuando tengo tiempo libre me gusta jugar a la Play con mi mejor amigo.

21 En mi tiempo libre me gusta hacer footing con mis amigos.

22 Cuando tengo tiempo libre no voy al centro comercial porque es aburrido.

23 Cuando tengo tiempo libre no hago equitación porque es aburrido.

24 En mi tiempo libre me gusta jugar al tenis con mi hermana.

25 En mi tiempo libre me gusta ir a la casa de mi amigo.

26 ¿Qué te gusta hacer en tu tiempo libre?

27 En mi tiempo libre me gusta jugar al fútbol con mi hermano y mis amigos.

28 ¿Qué **no** te gusta hacer en tu tiempo libre?

29 En mi tiempo libre me gusta jugar al baloncesto con mis amigos.

30 Cuando tengo tiempo libre me gusta hacer ciclismo con mi hermano.

LLEGADA

THE LANGUAGE GYM

UNIT 5 – STAIRCASE TRANSLATION

In my free time.

In my free time I like to play tennis.

In my free time I like to play tennis and basketball with my friends.

In my free time I like to play tennis and basketball with my friends. I also like to play video games and PlayStation…

In my free time I like to play tennis and basketball with my friends because it is fun and exciting. I also like to play video games and PlayStation with my friends because it is fun.

* In my free time I like to play tennis and basketball with my friends. I also like to play video games and PlayStation with my friends because it is fun. However, *(sin embargo)* I don't like to go fishing because it is boring.

* Translate the last step here:

UNIT 5 – FASTER!

Say:

1. What do you like to do in your free time?
2. I like to play video games because it is fun.
3. I also like to do sport because it is fun and healthy.
4. I love to go cycling because it is exciting.
5. I also love to go to the gym because it is fun and exciting.
6. I don't like to go horse riding because it is boring.
7. I don't like to go jogging because it is tiring.
8. I don't like to go hiking because it is boring and tiring.

	Time	Mistakes	Referee's name
1			
2			
3			
4			

UNIT 5 – FAST & FURIOUS – Version 1

1. Me encanta _____ ciclismo con mis amigos.
2. Me gusta _____ al ajedrez con mi hermano.
3. No me gusta _____ al polideportivo.
4. Me encanta _____ deporte.
5. Me gusta mucho _____ a casa de mi amigo.
6. Me encanta _____ senderismo.
7. Me gusta mucho _____ a videojuegos.
8. Me encanta _____ natación.
9. Me gusta _____ al parque.
10. Me gusta mucho _____ a las cartas.

	Time 1	Time 2	Time 3	Time 4
Time				
Mistakes				

UNIT 5 – FAST & FURIOUS – Version 2

1. Me encanta _____ natación con mi amigo.
2. Me gusta _____ al tenis con mi hermana.
3. No me gusta _____ al centro comercial.
4. Me encanta _____ equitación.
5. Me gusta mucho _____ a casa de mi mejor amiga.
6. Me encanta _____ los deberes.
7. Me gusta mucho _____ al fútbol.
8. Me encanta _____ a la playa.
9. Me gusta mucho _____ al ajedrez.
10. Me gusta _____ al parque con mi perro.

	Time 1	Time 2	Time 3	Time 4
Time				
Mistakes				

UNIT 5 – COMMUNICATIVE DRILLS

1	2	3
What do you like doing in your free time? - I like to go to my friend's house and play PlayStation with him. It's a lot of fun. And you? **In my free time I like to go to the shopping centre or to play football with my friends.**	**What do you like doing in your free time?** - I like to go to my friend's house and play cards or chess with her. It's a lot of fun. And you? **In my free time I like to go to the swimming pool with my brother and sister. I like to swim because it is fun.**	**What do you not like doing in your free time?** - I don't like to go hiking with my parents. It is very tiring. And you? What do you not like doing in your free time? **I don't like to go fishing with my dad. It is very boring.**
4	**5**	**6**
What do you like doing in your free time? - In my free time I like to do sport because it is healthy and fun. And you? **In my free time I like to go swimming at the pool.**	**What do you like doing in your free time?** - I like to go to my friend's house and play chess and video games with him. It's a lot of fun. And you? **In my free time I like to go to the sports centre centre or to the park with my friends.**	**What do you like doing in your free time?** - I like to play on the computer, go horse riding a fishing. It's a lot of fun. And you? **In my free time I like to go to the gym and to go jogging. It is tiring but fun.**
7	**8**	**9**
Do you like to go swimming at the pool? - No, it is tiring and boring. **Do you like to play football and basketball?** - Yes I like it a lot. It's a lot of fun.	**Do you like to go to the shopping centre?** - No, it is boring. **Do you like to play video games.** - Yes I like it a lot. It's very entertaining.	**Do you like to go to the gym?** - No, it is tiring and boring. **Do you like to play chess?** - Yes I like it a lot. It's exciting. **Do you like top lay cards?** - Yes, I love it. It is a lot of fun.

UNIT 5 – COMMUNICATIVE DRILLS
REFEREE CARD

1	2	3
¿Qué te gusta hacer en tu tiempo libre? - Me gusta ir a la casa de mi amigo y jugar a la Play con él. Es muy divertido. ¿Y tú? **En mi tiempo libre me gusta ir al centro comercial o jugar al fútbol con mis amigos.**	¿Qué te gusta hacer en tu tiempo libre? - Me gusta ir a casa de mi amiga y jugar a las cartas o al ajedrez con ella. Es muy divertido. ¿Y tú? **En mi tiempo libre me gusta ir a la piscina con mi hermano y mi hermana. Me gusta nadar porque es divertido.**	¿Qué no te gusta hacer en tu tiempo libre? - No me gusta hacer senderismo con mis padres. Es muy agotador ¿Y tú? ¿Qué no te gusta hacer en tu tiempo libre? **No me gusta ir de pesca con mi padre. Es muy aburrido.**
4	**5**	**6**
¿Qué te gusta hacer en tu tiempo libre? - En mi tiempo libre me gusta hacer deporte porque es saludable y divertido. ¿Y tú? **En mi tiempo libre me gusta ir a nadar a la piscina.**	¿Qué te gusta hacer en tu tiempo libre? - Me gusta ir a casa de mi amigo y jugar al ajedrez y a videojuegos con él. Es muy divertido. ¿Y tú? **En mi tiempo libre me gusta ir al polideportivo o al parque con mis amigos.**	¿Qué te gusta hacer en tu tiempo libre? - Me gusta jugar en el ordenador, montar a caballo y pescar. Es muy divertido. ¿Y tú? **En mi tiempo libre me gusta ir al gimnasio y hacer footing. Es agotador pero divertido.**
7	**8**	**9**
¿Te gusta hacer natación en la piscina? - No, es agotador y aburrido. **¿Te gusta jugar al fútbol y al baloncesto?** - Sí, me gusta mucho. Es muy divertido.	¿Te gusta ir al centro comercial? - No, es aburrido. **¿Te gusta jugar a videojuegos?** - Sí me gusta mucho. Es muy entretenido.	**¿Te gusta ir al gimnasio?** - No, es agotador y aburrido. **¿Te gusta jugar al ajedrez?** - Sí, me gusta mucho. Es emocionante. **¿Te gusta jugar a las cartas?** - Sí, me encanta. Es muy divertido.

UNIT 5 – SURVEY

	What is your name?	Where do you live?	What school subjects do you like? Why?	What do you like to do in your free time? Why?	What do you <u>not</u> like to do in your free time? Why not?
	¿Cómo te llamas?	¿Dónde vives?	¿Qué asignaturas te gustan? ¿Por qué?	¿Qué te gusta hacer en tu tiempo libre? ¿Por qué?	¿Qué no te gusta hacer en tu tiempo libre? ¿Por qué no?
e.g.	*Me llamo Juan.*	*Vivo en Madrid pero soy de Sevilla.*	*Me gustan las ciencias porque son interesantes.*	*Me gusta hacer deporte porque es divertido.*	*No me gusta jugar a las cartas porque es aburrido.*
1					
2					
3					
4					
5					
6					
7					

 THE LANGUAGE GYM

UNIT 5 – ANSWERS

FIND SOMEONE WHO

Find someone who...		Name
1.	...loves playing PlayStation.	Ignacio
2.	...loves cycling.	Beatriz
3.	...likes going to the pool to do swimming.	Emilia
4.	...likes going to the shopping centre.	Andrea
5.	...likes going to the sports centre.	Diana
6.	...likes playing basketball.	Emilio
7.	...likes playing videogames.	Francisco / Ignacio
8.	...loves going for a walk in the park.	Paola / Trini
9.	...likes going fishing.	Guillermo
10.	...likes going to their friend's house.	Carolina
11.	...likes playing chess.	Catalina
12.	...likes hiking.	Felipe
13.	...loves going to the gym to do weights.	Gianfranco
14.	...loves to go jogging in the park.	Daniela
15.	...is a red herring! 🐟 (No match)	Paloma

STAIRCASE TRANSLATION

En mi tiempo libre me gusta jugar al tenis y al baloncesto con mis amigos. También me gusta jugar a videojuegos y a la Play con mis amigos porque es divertido. Sin embargo, no me gusta ir de pesca porque es aburrido.

FASTER! REFEREE SOLUTION:

1. ¿Qué te gusta hacer en tu tiempo libre?
2. Me gusta jugar a videojuegos porque es divertido.
3. También me gusta hacer deporte porque es divertido y saludable.
4. Me encanta montar en bicicleta porque es emocionante.
5. También me encanta ir al gimnasio porque es divertido y emocionante.
6. No me gusta montar a caballo porque es aburrido.
7. No me gusta hacer footing porque es agotador.
8. No me gusta hacer senderismo porque es aburrido y agotador.

FAST & FURIOUS

VERSION 1
1. Me encanta **hacer** ciclismo con mis amigos.
2. Me gusta **jugar** al ajedrez con mi hermano.
3. No me gusta **ir** al polideportivo.
4. Me encanta **hacer** deporte.
5. Me gusta mucho **ir** a casa de mi amigo.
6. Me encanta **hacer** senderismo.
7. Me gusta mucho **jugar** a videojuegos.
8. Me encanta **hacer** natación.
9. Me gusta **ir** al parque.
10. Me gusta mucho **jugar** a las cartas.

VERSION 2
1. Me encanta **hacer** natación con mi amigo.
2. Me gusta **jugar** al tenis con mi hermana.
3. No me gusta **ir** al centro comercial.
4. Me encanta **hacer** equitación.
5. Me gusta mucho **ir** a casa de mi mejor amiga.
6. Me encanta **hacer** los deberes.
7. Me gusta mucho **jugar** al fútbol.
8. Me encanta **ir** a la playa.
9. Me gusta mucho **jugar** al ajedrez.
10. Me gusta **ir** al parque con mi perro.

UNIT 6
Talking about my family members, saying their age, how well I get on with them. Counting to 100.

INSTRUCTIONS FOR ALL GAMES ARE ON PAGES 1-2

¿Cuántas personas hay en tu familia?	How many people are there in your family?
¿Con quién te llevas bien en tu familia?	Who do you get on well with in your family?
¿Te llevas mal con alguien?	Do you get on badly with anyone?
¿Por qué te llevas bien/mal con tu padre?	Why do you get on well/badly with your dad?

			un*	año
Hay <u>cuatro</u> personas en mi familia *There are <u>four</u> people in my family* **En mi familia somos <u>cinco</u>** *There are five of us in my family*	**mi abuelo Jaime** *my grandfather Jaime* **mi padre Juan** *my father Juan* **mi tío Iván** *my uncle Iván* **mi hermano mayor** *my older brother* **mi hermano menor** *my younger brother* **mi primo Ian** *my cousin Ian*	**Él tiene** *he has*	dos tres cuatro cinco seis siete ocho nueve diez once 11 doce 12 trece 13 catorce 14 quince 15 dieciséis 16	
Me llevo bien con *I get on well with* **Me llevo mal con** *I get on badly with*	**mi abuela Adela** *my grandmother Adela* **mi madre Ángela** *my mother Ángela* **mi tía Gina** *my aunt Gina* **mi hermana mayor** *my older sister* **mi hermana menor** *my younger sister* **mi prima Clara** *my cousin Clara*	**Ella tiene** *she has*	diecisiete 17 dieciocho 18 diecinueve 19 veinte 20 veintiún 21 veintidós 22 treinta 30 treinta y un 31 treinta y dos 32 cuarenta 40 cincuenta 50 sesenta 60 setenta 70 ochenta 80 noventa 90 cien 100	años

Author's note:
The number one, "uno", becomes shortened to "un" before a masculine noun. Watch out for it!

UNIT 6 – FIND SOMEONE WHO – Student Cards

Mi padre tiene cuarenta y tres años. **HUGO**	Mi padre tiene cincuenta y cuatro años. **DAVID**	Mi padre tiene veintinueve años. **ALICIA**	Mi padre tiene treinta y ocho años. **ANTONIA**
Mi padre tiene setenta años. **ÁNGEL**	Mi padre tiene treinta y cuatro años. **SONIA**	Mi padre tiene veintiséis años. **DANIEL**	Mi padre tiene cuarenta y dos años. **AMPARO**
Mi padre tiene sesenta años. **MERCEDES**	Mi padre tiene cuarenta y nueve años. **CLAUDIA**	Mi padre tiene cuarenta y ocho años. **FERNANDO**	Mi padre tiene cincuenta y ocho años. **CARLOS**
Mi padre tiene cincuenta y ocho años. **ANA**	Mi padre tiene treinta y siete años. **CONSUELO**	Mi padre tiene cincuenta y un años. **BEATRIZ**	Mi padre tiene setenta años. **GINA**

UNIT 6 – FIND SOMEONE WHO – Student Grid

Find someone whose father...	Name
¿Cómo te llamas? *What is your name?* ¿Cuántos años tiene tu padre? *How old is your father?*	
1. ...is 43 years old.	
2. ...is 54 years old.	
3. ...is 29 years old.	
4. ...is 38 years old.	
5. ...is 70 years old.	
6. ...is 34 years old.	
7. ...is 26 years old.	
8. ...is 42 years old.	
9. ...is 60 years old.	
10. ...is 49 years old.	
11. ...is 48 years old.	
12. ...is 58 years old.	
13. ...is a red herring! 🐟 (No match)	

UNIT 6 – ORAL PING PONG – Person A

ENGLISH 1	SPANISH 1	ENGLISH 2	SPANISH 2
In my family there are four people.	En mi familia hay cuatro personas.	**My older brother is 14.**	Mi hermano mayor tiene catorce años.
My older sister is 15.		**I get on well with my brother.**	
My uncle is 52.	Mi tío tiene cincuenta y dos años.	**My older sister is 18.**	Mi hermana mayor tiene dieciocho años.
I get on well with my aunt.		**My uncle is 42.**	
My auntie is 38.	Mi tía tiene treinta y ocho años.	**My cousin is 17.**	Mi primo tiene diecisiete años.
My cousin is 18.		**In my family there are five people.**	
My grandfather is 67.	Mi abuelo tiene sesenta y siete años.	**My mother is 40.**	Mi madre tiene cuarenta años.
My mother is 36.		**My auntie is 45.**	
My grandmother is 65.	Mi abuela tiene sesenta y cinco años.	**My older brother is 15.**	Mi hermano mayor tiene quince años.
My younger brother is 11.		**My grandfather is 80.**	

UNIT 6 – ORAL PING PONG – Person B

ENGLISH 1	SPANISH 1	ENGLISH 2	SPANISH 2
In my family there are four people.		**My older brother is 14.**	
My older sister is 15.	Mi hermana mayor tiene quince años.	**I get on with my brother.**	Me llevo bien con mi hermano.
My uncle is 52.		**My older sister is 18.**	
I get on with my aunt.	Me llevo bien con tía.	**My uncle is 42.**	Mi tío tiene cuarenta y dos años.
My auntie is 38.		**My cousin is 17.**	
My cousin is 18.	Mi primo tiene dieciocho años.	**In my family there are five people.**	En mi familia hay cinco personas.
My grandfather is 67.		**My mother is 40.**	
My mother is 36.	Mi madre tiene treinta y seis años.	**My auntie is 45.**	Mi tía tiene cuarenta y cinco años.
My grandmother is 65.		**My older brother is 15.**	
My younger brother is 11.	Mi hermano menor tiene once años.	**My grandfather is 80.**	Mi abuelo tiene ochenta años.

No Snakes No Ladders

START How many people are there in your family?	1	2 In my family there are six people.	3 In my family there are eight people.	4 There are five people in my family.	5 There are four people in my family.	6 Do you get on with your father?	7 Do you get on with your mother?
15 How old is your sister?	14 How old is your mother?	13 How old is your father?	12 How old is your uncle?	11 I don't get on with my uncle.	10 I don't get on with my sister.	9 I get on with my older brother.	8 I don't get on with my mother.
16 My sister is eighteen.	17 My mother is forty one.	18 Mi father is fifty.	19 My grandfather is seventy eight.	20 My younger brother is fifteen.	21 My older brother is twenty.	22 How old is your grandfather?	23 How old is your mother?
FINISH	30 My grandmother is 76.	29 My younger brother is ten.	28 My older brother is fourteen.	27 I get on with my grandfather. He is seventy three.	26 I get on with my uncle. He is thirty seven.	25 I get on with my mother. She is forty five.	24 My mother is thirty six.

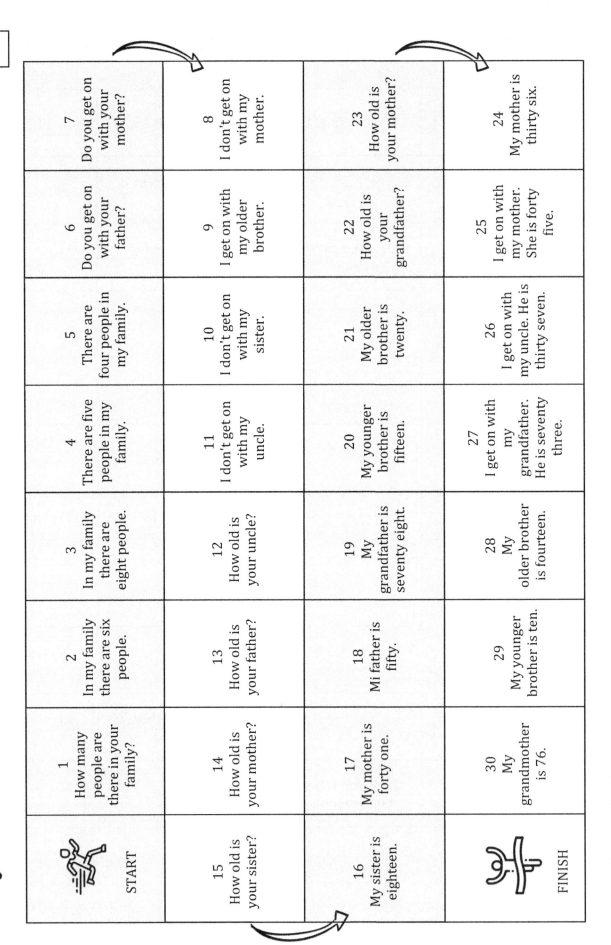

THE LANGUAGE GYM

No Snakes No Ladders

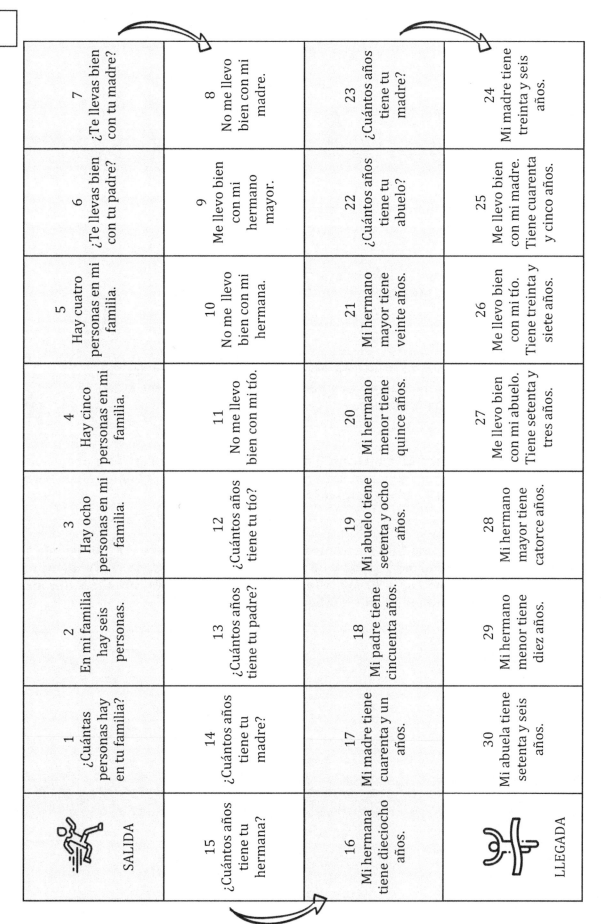

7 ¿Te llevas bien con tu madre?	**6** ¿Te llevas bien con tu padre?	**5** Hay cuatro personas en mi familia.	**4** Hay cinco personas en mi familia.	**3** Hay ocho personas en mi familia.	**2** En mi familia hay seis personas.	**1** ¿Cuántas personas hay en tu familia?
8 No me llevo bien con mi madre.	**9** Me llevo bien con mi hermano mayor.	**10** No me llevo bien con mi hermana.	**11** No me llevo bien con mi tío.	**12** ¿Cuántos años tiene tu tío?	**13** ¿Cuántos años tiene tu padre?	**14** ¿Cuántos años tiene tu madre?
23 ¿Cuántos años tiene tu madre?	**22** ¿Cuántos años tiene tu abuelo?	**21** Mi hermano mayor tiene veinte años.	**20** Mi hermano menor tiene quince años.	**19** Mi abuelo tiene setenta y ocho años.	**18** Mi padre tiene cincuenta años.	**17** Mi madre tiene cuarenta y un años.
24 Mi madre tiene treinta y seis años.	**25** Me llevo bien con mi madre. Tiene cuarenta y cinco años.	**26** Me llevo bien con mi tío. Tiene treinta y siete años.	**27** Me llevo bien con mi abuelo. Tiene setenta y tres años.	**28** Mi hermano mayor tiene catorce años.	**29** Mi hermano menor tiene diez años.	**30** Mi abuela tiene setenta y seis años. LLEGADA

SALIDA

15
¿Cuántos años tiene tu hermana?

16
Mi hermana tiene dieciocho años.

 THE LANGUAGE GYM

UNIT 6 – STAIRCASE TRANSLATION

My name is Susana. I am 11. I am from Madrid.

My name is Susana. I am 11. I am from Madrid. In my family there are four people...

My name is Susana. I am 11. I am from Madrid. In my family there are four people: my father, my mother, my brother and me.

My name is Susana. I am 11. I am from Madrid. In my family there are four people: my father, my mother, my brother and me. I get on with my father but I don't get on with my mother.

My name is Susana. I am 11. I am from Madrid. In my family there are four people: my father, my mother, my brother and me. I get on with my father but I don't get on with my mother. My father is 40 and my mother is 35. My sister is 15.

* My name is Susana. I am 11. I am from Madrid. In my family there are four people: my father, my mother, my brother and me. I get on with my father but I don't get on well with my mother. My father is 40 and my mother is 35. My sister is 15. How many people are there in your family? How old is your father? How old is your mother?

* Translate the
last step here:

⏱ UNIT 6 – FASTER! 💨

Say:

1. In my family there are four people.
2. My father, my mother, my brother Jaime and my sister Ana.
3. My father is 39.
4. My mother is 43.
5. My grandfather is 71.
6. My grandfather is 64.
7. I don't get on with my father.
8. I get on with my mother.
9. How many people are there in your family?
10. Do you get on with your mother?

	Time	Mistakes	Referee's name
1			
2			
3			
4			

UNIT 6 – TRAPDOOR

| Mi | abuela abuelo hermana hermano madre padre prima primo tía tío | tiene | diez quince veintiséis treinta treinta y seis cuarenta cincuenta setenta ochenta y seis | años. | Su cumpleaños | es el | nueve veinte dieciocho treinta dieciséis veintidós treinta y uno quince | de | enero. febrero. abril. marzo. mayo. junio. agosto. septiembre. |

1. My grandfather is 86. His birthday is on 18 August.
2. My female cousin is 15. Her birthday is on 15 January.
3. My brother is six. His birthday is on 22 June.
4. My mother is 36. Her birthday is on 9 February.
5. My grandmother is 70. Her birthday is on 16 April.
6. My father is 50. His birthday in on 30 September.
7. My sister is 26. His birthday is on 31 March.

	Time 1	Time 2	Time 3	Time 4
Time				
Mistakes				

 THE LANGUAGE GYM

UNIT 6 – COMMUNICATIVE DRILLS

1	2	3
How many people are there in your family? - In my family there are six people. My mother, father, older brother, younger brother and my sister. **How old are your father and mother?** - My father is 38 and my mother is 37.	**How many people are there in your family?** - In my family there are four people. My mother, my father, my sister and I. **How old are your father and mother?** - My father is 42 and my mother is 35.	**How many people are there in your family?** - In my family there are three people. My mother, my father and I. **How old are your father and mother?** - My father is 52 and my mother is 36.
4	**5**	**6**
How old is your father? - My father is 60. **How old is your mother?** - My mother is 52 **Do you get on with your father?** - Yes. I get on with my mother but I don't get on with my father.	**How old is your grandfather?** - My grandfather is 70. **How old is your grandmother?** - My grandmother is 72. **Do you get on with your grandfather?** - Yes. I get on well my grandfather but I don't get on with my grandmother.	**How old is your uncle Josh?** - My uncle Josh is 63. **How old is your aunt Linda?** - My aunt Linda is 67. **Do you get on with your uncles?** - I get on well my aunt but I don't get on with my uncle.
7	**8**	**9**
How many people are there in your family? - In my family there are six people. My mother, my father, my two sisters, my brother and I. **How old are your father and mother?** - My father is 48 and my mother is 34.	**How old is your father?** - My father is 64. **How old is your mother?** - My mother is 52. **Do you get on with your father?** - Yes. I get on with my father but I don't get on with my mother.	**What is your name?** - My name is Carlos. **Where are you from?** - I am from Madrid but I live in London. **How many people are there in your family?** - There are four: my father, my mother, my sister and I. **Do you get on with your parents *(tus padres)*?** - I get on with my father but I don't get on with my mother.

UNIT 6 – COMMUNICATIVE DRILLS
REFEREE CARD

1	2	3
¿Cuántas personas hay en tu familia? - En mi familia hay seis personas. Mi madre, mi padre, mi hermano mayor, mi hermano menor y mi hermana. **¿Cuántos años tienen tu padre y tu madre?** - Mi padre tiene treinta y ocho años y mi madre treinta y siete años.	¿Cuántas personas hay en tu familia? - En mi familia hay cuatro personas. Mi madre, mi padre, mi hermana y yo. **¿Cuántos años tienen tu padre y tu madre?** - Mi padre tiene cuarenta y dos años y mi madre treinta y cinco años.	¿Cuántas personas hay en tu familia? - En mi familia hay tres personas. Mi madre, mi padre y yo. **¿Cuántos años tienen tu padre y tu madre?** - Mi padre tiene cincuenta y dos años y mi madre treinta y seis años.
4	**5**	**6**
¿Cuántos años tiene tu padre? - Mi padre tiene sesenta años **¿Cuantos años tiene tu madre?** - Mi madre tiene cincuenta y dos años. **¿Te llevas bien con tu padre?** - Sí. Me llevo bien con mi madre pero no me llevo bien con mi padre.	¿Que edad tiene tu abuelo? - Mi abuelo tiene setenta años. **¿Cuántos años tiene tu abuela?** - Mi abuela tiene setenta y dos años. **¿Te llevas bien con tu abuelo?** - Sí. Me llevo bien con mi abuelo pero no me llevo bien con mi abuela.	¿Cuántos años tiene tu tío Josh? - Mi tío Josh tiene sesenta y tres años. **¿Cuántos años tiene tu tía Linda?** - Mi tía Linda tiene sesenta y siete años. **¿Te llevas bien con tus tíos?** - Me llevo bien con mi tía pero no me llevo bien con mi tío.
7	**8**	**9**
¿Cuántas personas hay en tu familia? - En mi familia hay seis personas. Mi madre, mi padre, mis dos hermanas, mi hermano y yo. **¿Cuántos años tienen tu padre y tu madre?** - Mi padre tiene cuarenta y ocho años y mi madre treinta y cuatro años.	¿Cuántos años tiene tu padre? - Mi padre tiene sesenta y cuatro años. **¿Cuantos años tiene tu madre?** - Mi madre tiene cincuenta y dos años. **¿Te llevas bien con tu padre?** - Sí. Me llevo bien con mi padre pero no me llevo bien con mi madre.	¿Cómo te llamas? - Me llamo Carlos. **¿De dónde eres?** - Soy de Madrid pero vivo en Londres. **¿Cuántas personas hay en tu familia?** - Somos cuatro: mi padre, mi madre, mi hermana y yo. **¿Te llevas bien con tus padres?** - Me llevo bien con mi padre pero no me llevo bien con mi madre.

THE LANGUAGE GYM

UNIT 6 – SURVEY

	What is your name?	How old are you?	How many people are there in your family?	How old are your parents?	Do you get on with your mother and father?
	¿Cómo te llamas?	¿Cuántos años tienes?	¿Cuántas personas hay en tu familia?	¿Cuántos años tienen tus padres?	¿Te llevas bien con tu madre y tu padre?
e.g.	*Me llamo Mark.*	*Tengo once años.*	*En mi familia hay cuatro personas: mi madre, mi padre, mi hermana y yo.*	*Mi madre tiene cuarenta años y mi padre tiene cuarenta y dos años.*	*Me llevo bien con mi madre pero no me llevo bien con mi padre.*
1					
2					
3					
4					
5					
6					
7					

UNIT 6 – ANSWERS

FIND SOMEONE WHO

Find someone whose father...		Name
1.	...is 43 years old.	Hugo
2.	...is 54 years old.	David
3.	...is 29 years old.	Alicia
4.	...is 38 years old.	Antonia
5.	...is 70 years old.	Ángel / Gina
6.	...is 34 years old.	Sonia
7.	...is 26 years old.	Daniel
8.	...is 42 years old.	Amparo
9.	...is 60 years old.	Mercedes
10.	...is 49 years old.	Claudia
11.	...is 48 years old.	Fernando
12.	...is 58 years old.	Ana / Carlos
13.	...is a red herring! 🐟 (No match)	Consuelo / Beatriz

STAIRCASE TRANSLATION

Me llamo Susana. Tengo once años. Soy de Madrid. En mi familia somos cuatro personas: mi padre, mi madre, mi hermano y yo. Me llevo bien con mi padre pero no me llevo bien con mi madre. Mi padre tiene cuarenta años y mi madre tiene treinta y cinco años. Mi hermana tiene quince años. ¿Cuántas personas hay en tu familia? ¿Cuántos años tiene tu padre? ¿Cuántos años tiene tu madre?

FASTER!

REFEREE SOLUTION:

1. En mi familia hay cuatro personas.
2. Mi padre, mi madre, mi hermano Jaime y mi hermana Ana.
3. Mi padre tiene treinta y nueve años.
4. Mi madre tiene cuarenta y tres años.
5. Mi abuelo tiene setenta y un años.
6. Mi abuelo tiene sesenta y cuatro años.
7. No me llevo bien con mi padre.
8. Me llevo bien con mi madre.
9. ¿Cuántas personas hay en tu familia?
10. ¿Te llevas bien con tu madre?

TRAPDOOR

1. Mi abuelo tiene ochenta y seis años. Su cumpleaños es el dieciocho de agosto.
2. Mi prima tiene quince años. Su cumpleaños es el quince de enero.
3. Mi hermano tiene seis años. Su cumpleaños es el veintidós de junio.
4. Mi madre tiene treinta y seis años. Su cumpleaños es el nueve de febrero.
5. Mi abuela tiene setenta años. Su cumpleaños es el dieciséis de abril.
6. Mi padre tiene cincuenta años. Su cumpleaños es el treinta de septiembre.
7. Mi hermana tiene veintiséis años. Su cumpleaños es el treinta y uno de marzo.

 **THE LANGUAGE GYM**

UNIT 7
Describing hair and eyes

¿Cómo te llamas?	*What is your name?*	**¿Cuántos años tienes?**	*How old are you?*
*****¿Cómo tienes el pelo?**	*What is your hair like?*	**¿De qué color son tus ojos?**	*What colour are your eyes?*

¿Cómo se llama?	*What is his/her name?*	**¿Cuántos años tiene?**	*How old is he/she?*
¿Cómo tiene el pelo?	*What is his/her hair like?*	**¿De qué color son sus ojos?**	*What colour are his/her eyes?*

Me llamo *My name is*	Antonio Carlos Diego Emilia Isabel	**y** *and*	**tengo** *I have*	**seis años** *6 years* **siete años** *7 years* **ocho años** *8 years* **nueve años** *9 years* **diez años** *10 years*
Mi hermano se llama *My brother's name is*	Jaume José Julián		**tiene** *he/she has*	**once años** *11 years* **doce años** *12 years* **trece años** *13 years*
Mi hermana se llama *My sister's name is*	María Paloma Verónica			**catorce años** *14 years* **quince años** *15 years* **dieciséis años** *16 years*

Tengo el pelo *I have ... hair*	**blanco** *white* **castaño** *brown* **gris** *grey* **moreno** *dark brown*		**a media melena** *medium length* **corto** *short* **en punta** *spiky* **largo** *long* **liso** *straight*	
Tiene el pelo *He/She has ... hair*	**negro** *black* **rubio** *blond*	**y**	**rapado** *very short / crew-cut* **rizado** *curly* **ondulado** *wavy*	

Soy *I am* **Es** *He/she is*	**moreno/a** *(a) brunette* **pelirrojo/a** *(a) redhead* **rubio/a** *(a) blond/blonde*	

Tengo los ojos *I have ... eyes*	**azules** *blue* **grises** *grey* **marrones** *brown*		**(no) llevo** *I don't wear*	**gafas** *glasses*
Tiene los ojos *He/She has ... eyes*	**negros** *black* **verdes** *green*	**y**	**(no) lleva** *he/she doesn't wear*	**bigote** *a moustache* **barba** *a beard*

***Author's note:** You can also phrase this question as "**¿Cómo es tu pelo?**" What is your hair like?*

UNIT 7 – FIND SOMEONE WHO – Student Cards

Soy pelirrojo. Tengo los ojos marrones. **SOFÍA**	Tengo el pelo moreno. Tengo los ojos verdes. **CAMILA**	Tengo el pelo castaño. Tengo los ojos azules. **MATEO**	Soy pelirrojo. Tengo los ojos azules. **ALEJANDRO**
Tengo el pelo moreno. Tengo los ojos verdes. **VALENTINA**	Tengo el pelo rubio. Tengo los ojos azules. **ANA**	Tengo el pelo castaño. Tengo los ojos verdes. **SANTIAGO**	Tengo el pelo moreno. Tengo los ojos azules. **ENRIQUE**
Tengo el pelo gris. Tengo los ojos azules. **ISABEL**	Tengo el pelo blanco. Tengo los ojos azules. **DANIEL**	Tengo el pelo rubio. Tengo los ojos verdes. **LEONARDO**	Tengo el pelo rubio. Tengo los ojos marrones. **FELIPE**
Tengo el pelo moreno. Tengo los ojos azules. **MARÍA**	Tengo el pelo castaño. Tengo los ojos grises. **LUCAS**	Tengo el pelo castaño. Tengo los ojos verdes. **SEBASTIÁN**	Tengo el pelo moreno. Tengo los ojos grises. **PACO**

UNIT 7 – FIND SOMEONE WHO – Student Grid

Find someone who...		Name
1.	...has red hair and brown eyes.	
2.	...has light brown hair and grey eyes.	
3.	...has light brown hair and blue eyes.	
4.	...has red hair and blue eyes.	
5.	...has dark brown hair and green eyes.	
6.	...has blond hair and blue eyes.	
7.	...has light brown hair and green eyes.	
8.	...has dark brown hair and blue eyes.	
9.	...has grey hair and blue eyes.	
10.	...has white hair and blue eyes.	
11.	...has blond hair and green eyes.	
12.	...has blond hair and brown eyes.	
13.	...is a red herring! 🐟 (No match)	

 **THE LANGUAGE GYM**

UNIT 7 – ORAL PING PONG – Person A

ENGLISH 1	SPANISH 1	ENGLISH 2	SPANISH 2
I have brown hair.	Tengo el pelo marrón.	My grandfather has white hair and black eyes.	Mi abuelo tiene el pelo blanco y los ojos negros.
I have blue eyes.		My grandmother has white hair and blue eyes.	
I have blond hair.	Tengo el pelo rubio.	I am a redhead and have blue eyes.	Soy pelirrojo/a y tengo los ojos azules.
I have medium-length hair.		I have brown hair and green eyes.	
I have straight dark brown hair.	Tengo el pelo moreno y liso.	I have dark brown hair and brown eyes.	Tengo el pelo moreno y los ojos marrones.
I have curly red hair.		I have straight black hair and green eyes.	
I have blond hair and green eyes.	Tengo el pelo rubio y los ojos verdes.	I have curly blond hair and blue eyes.	Tengo el pelo rubio y rizado y los ojos azules.
My father has grey hair and green eyes.		I have wavy dark brown hair and black eyes.	
My mother has black hair and blue eyes.	Mi madre tiene el pelo negro y los ojos azules.	I have straight blond hair and blue eyes.	Tengo el pelo rubio y liso y los ojos azules.
My sister has light brown hair and grey eyes.		I have short black hair and blue eyes.	

THE LANGUAGE GYM

UNIT 7 – ORAL PING PONG – Person B

ENGLISH 1	SPANISH 1	ENGLISH 2	SPANISH 2
I have brown hair.		My grandfather has white hair and black eyes.	
I have blue eyes.	Tengo los ojos azules.	My grandmother has white hair and blue eyes.	Mi abuela tiene el pelo blanco y los ojos azules.
I have blond hair.		I have red hair and blue eyes.	
I have medium-length hair.	Tengo el pelo a media melena.	I have brown hair and green eyes.	Tengo el pelo moreno y los ojos verdes.
I have straight dark brown hair.		I have dark brown hair and brown eyes.	
I have curly red hair.	Tengo el pelo pelirrojo y rizado.	I have straight black hair and green eyes.	Tengo el pelo negro y liso y los ojos verdes.
I have blond hair and green eyes.		I have curly blond hair and blue eyes.	
My father has grey hair and green eyes.	Mi padre tiene el pelo gris y los ojos verdes.	I have wavy dark brown hair and black eyes.	Tengo el pelo moreno y ondulado y los ojos negros.
My mother has black hair and blue eyes.		I have straight blond hair and blue eyes.	
My sister has light brown hair and grey eyes.	Mi hermana tiene el pelo castaño y los ojos grises.	I have short black hair and blue eyes.	Tengo el pelo negro y corto y los ojos azules.

No Snakes No Ladders

1 What is your hair like?	2 I wear glasses.	3 I have short hair.	4 What is your hair like?	5 I have brown eyes.	6 I have long hair.	7 I have black eyes.
14 I have dark brown hair.	13 I have short hair.	12 What is your hair like?	11 I have black/dark eyes.	10 I don't wear glasses.	9 He has a beard.	8 I have green eyes.
17 I have black and wavy hair and blue eyes.	18 I have blond and curly hair and brown eyes.	19 I have very long blond hair and green eyes.	20 I have medium length hair and blue eyes.	21 I have short blond hair.	22 I have long black hair.	23 I have very short hair.
30 My name is Pedro. I live in Argentina. I have black and very short hair.	29 My name is Ana. I live in Madrid. I am a redhead and have brown eyes.	28 I am twelve years old. I have green eyes and blond, straight hair.	27 I am ten years old. I have blond and curly hair and blue eyes.	26 I have curly brown hair and green eyes. I wear glasses.	25 I have long blond hair and grey eyes.	24 I wear sunglasses.

START

15 I have wavy hair.

16 I am a redhead and have green eyes.

FINISH

No Snakes No Ladders

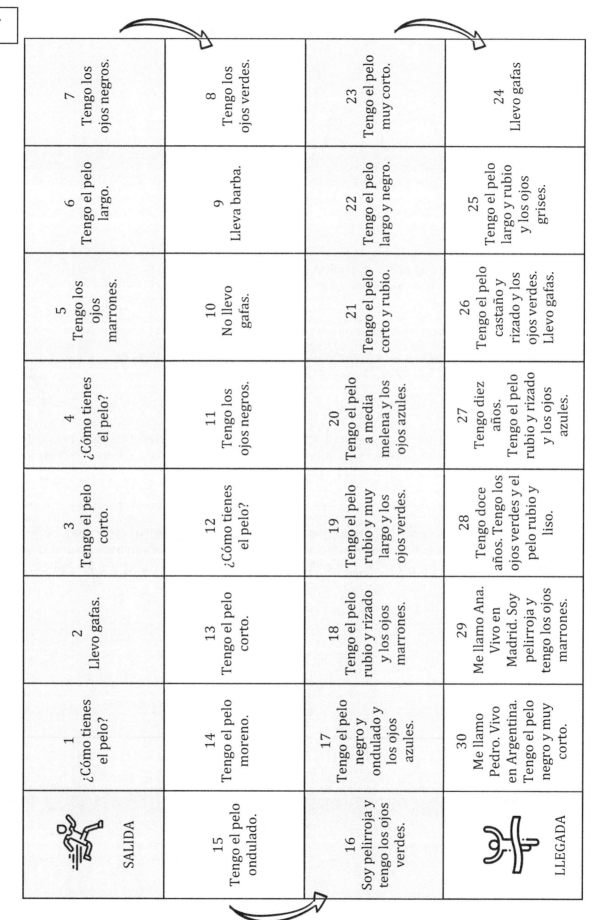

SALIDA	**1** ¿Cómo tienes el pelo?	**2** Llevo gafas.	**3** Tengo el pelo corto.	**4** ¿Cómo tienes el pelo?	**5** Tengo los ojos marrones.	**6** Tengo el pelo largo.	**7** Tengo los ojos negros.
15 Tengo el pelo ondulado.	**14** Tengo el pelo moreno.	**13** Tengo el pelo corto.	**12** ¿Cómo tienes el pelo?	**11** Tengo los ojos negros.	**10** No llevo gafas.	**9** Lleva barba.	**8** Tengo los ojos verdes.
16 Soy pelirroja y tengo los ojos verdes.	**17** Tengo el pelo negro y ondulado y los ojos azules.	**18** Tengo el pelo rubio y rizado y los ojos marrones.	**19** Tengo el pelo rubio y muy largo y los ojos verdes.	**20** Tengo el pelo a media melena y los ojos azules.	**21** Tengo el pelo corto y rubio.	**22** Tengo el pelo largo y negro.	**23** Tengo el pelo muy corto.
LLEGADA	**30** Me llamo Pedro. Vivo en Argentina. Tengo el pelo negro y muy corto.	**29** Me llamo Ana. Vivo en Madrid. Soy pelirroja y tengo los ojos marrones.	**28** Tengo doce años. Tengo los ojos verdes y el pelo rubio y liso.	**27** Tengo diez años. Tengo el pelo rubio y rizado y los ojos azules.	**26** Tengo el pelo castaño y rizado y los ojos verdes. Llevo gafas.	**25** Tengo el pelo largo y rubio y los ojos grises.	**24** Llevo gafas

THE LANGUAGE GYM

UNIT 7 – STAIRCASE TRANSLATION

My name is William. I am 12.

My name is William. I am 12. I am English but I live in Spain.

My name is William. I am 12. I am English but I live in Spain. I have long blond curly hair and blue eyes.

My name is William. I am 12. I am English but I live in Spain. I have long blond curly hair and blue eyes. My sister is called Susanne. She is 14.

My name is William. I am 12. I am English but I live in Spain. I have long blond curly hair and blue eyes. My sister is called Susanne. She is 14. She has short dark brown hair and green eyes. My girfriend is called Juanita.

* My name is William. I am 12. I am English but I live in Spain. I have long blond curly hair and blue eyes. My sister is called Susanne. She is 14. She has short dark brown hair and green eyes. My girfriend is called Juanita. She is 13. She is a redhead. She has medium length curly hair and she has green eyes.

* Translate the
last step here:

# ⏱ UNIT 7 – FASTER! 💨

Say:

1. I have blond hair and blue eyes.
2. I have black hair and green eyes.
3. I have dark brown hair and grey eyes.
4. I am a redhead and I have brown eyes.
5. My brother is a redhead and has straight hair.
6. My sister has blond and curly hair.
7. My girlfriend has black and curly hair and blue eyes.
8. My father is a redhead. He has long straight hair and brown eyes.
9. I am twelve years old. I have green eyes and blond, straight hair.
10. He is fifteen years old. He has black, curly long hair and green eyes.

	Time	Mistakes	Referee's name
1			
2			
3			
4			

 # UNIT 7 – DETECTIVES & INFORMANTS

DETECTIVES	Español	English
¿Cómo es el tío de Miriam?		
¿Cómo es el hermano mayor de Miriam?		
¿Cómo es la tía de Miriam?		
¿La madre de Miriam es gorda o delgada?		
¿El padre de Miriam es alto o bajo?		
¿Cómo es el hermano menor de Miriam?		
¿Cómo es el abuelo de Miriam?		
¿Cómo es la abuela de Miriam?		

INFORMANTS

El tío de Miriam es generoso.	El padre de Miriam es bajo.
El hermano mayor de Miriam es inteligente.	El hermano menor de Miriam es simpático.
La tía de Miriam es antipática.	El abuelo de Miriam es terco.
La madre de Miriam es delgada.	La abuela de Miriam es amable.

UNIT 7 – COMMUNICATIVE DRILLS

1	2	3
What is your hair like? - My hair is blond, long and curly. **What are your eyes like?** - I have blue eyes.	**What is your hair like?** - My hair is black, long and curly. **What are your eyes like?** - I have green eyes.	**What is your hair like?** - I am a redhead and my hair is short and curly. **What are your eyes like?** - I have brown eyes.
4	**5**	**6**
What is your hair like? - I have brown, long and straight hair. **What are your eyes like?** - I have black eyes.	**What is your hair like?** - I have black, long, wavy hair. **What are your eyes like?** - I have brown eyes.	**What is your hair like?** - I have white, crew cut hair. **What are your eyes like?** - I have green eyes.
7	**8**	**9**
What is his hair like? - He has blond, medium length and curly hair. **What are his eyes like?** - He has blue eyes.	**What is her hair like?** - She is a redhead and her hair is medium length and straight. **What are her eyes like?** - She has green eyes.	**What is her hair like?** - She is a brunette and her hair is long and straight. **What are her eyes like?** - She has green eyes.

UNIT 7 – COMMUNICATIVE DRILLS
REFEREE CARD

1	2	3
¿Cómo tienes el pelo? -Tengo el pelo rubio, largo y rizado. **¿De qué color son tus ojos?** - Tengo los ojos azules.	**¿Cómo tienes el pelo?** - Tengo el pelo moreno, largo y rizado. **¿De qué color son tus ojos?** - Tengo los ojos verdes.	**¿Cómo tienes el pelo?** - Soy pelirrojo/a y tengo el pelo corto y rizado. **¿De qué color son tus ojos?** - Tengo los ojos marrones.
4	**5**	**6**
¿Cómo tienes el pelo? - Tengo el pelo castaño, largo y liso. **¿De qué color son tus ojos?** - Tengo los ojos negros.	**¿Cómo tienes el pelo?** - Tengo el pelo negro, largo y ondulado **¿De qué color son tus ojos?** - Tengo los ojos marrones.	**¿Cómo tienes el pelo?** - Tengo el pelo blanco y rapado. **¿De qué color son tus ojos?** - Tengo los ojos verdes.
7	**8**	**9**
¿Cómo tiene el pelo? - Es rubio y tiene el pelo a media melena y rizado. **¿De qué color son sus ojos?** - Tiene los ojos azules.	**¿Cómo tiene el pelo?** - Es pelirroja y tiene el pelo a media melena y liso. **¿De qué color son sus ojos?** - Tiene los ojos verdes.	**¿Cómo tiene el pelo?** - Es morena y tiene el pelo largo y liso. **¿De qué color son sus ojos?** - Tiene los ojos verdes.

UNIT 7 – SURVEY

	What is your name?	How old are you?	How many people are there in your family?	What is your hair like?	What colour are your eyes?	And your mother? What is her hair like? What colour are her eyes?
	¿Cómo te llamas?	¿Cuántos años tienes?	¿Cuántas personas hay en tu familia?	¿Cómo tienes el pelo?	¿De qué color son tus ojos?	Y tu madre, ¿cómo tiene el pelo? ¿De qué color son sus ojos?
e.g.	*Me llamo Mark.*	*Tengo once años.*	*En mi familia hay cuatro personas: mi madre, mi padre, mi hermana y yo.*	*Tengo el pelo corto, rizado y castaño.*	*Tengo los ojos marrones y pequeños.*	*Mi madre tiene el pelo largo, rubio y liso y tiene los ojos azules.*
1.						
2.						
3.						
4.						
5.						
6.						
7.						

THE LANGUAGE GYM

UNIT 7 – ANSWERS

FIND SOMEONE WHO

Find someone who...		Name
1.	...has red hair and brown eyes.	Sofía
2.	...has light brown hair and grey eyes.	Lucas
3.	...has light brown hair and blue eyes.	Mateo
4.	...has red hair and blue eyes.	Alejandro
5.	...has dark brown hair and green eyes.	Valentina/Camila
6.	...has blond hair and blue eyes.	Ana
7.	...has light brown hair and green eyes.	Santiago / Sebastián
8.	...has dark brown hair and blue eyes.	Enrique / María
9.	...has grey hair and blue eyes.	Isabel
10.	...has white hair and blue eyes.	Daniel
11.	...has blond hair and green eyes.	Leonardo
12.	...has blond hair and brown eyes.	Felipe
13.	...is a red herring! 🐟 (No match)	Paco

STAIRCASE TRANSLATION

Me llamo William. Tengo doce años. Soy inglés pero vivo en España. Tengo el pelo largo, rubio y rizado y los ojos azules. Mi hermana se llama Susanne. Ella tiene catorce años. Tiene el pelo moreno corto y los ojos verdes. Mi novia se llama Juanita. Ella tiene trece años. Es pelirroja y tiene el pelo a media melena y rizado y tiene los ojos verdes.

FASTER!

REFEREE SOLUTION:
1. Tengo el pelo rubio y los ojos azules.
2. Tengo el pelo negro y los ojos verdes.
3. Tengo el pelo moreno y los ojos grises.
4. Soy pelirrojo/a y tengo los ojos marrones.
5. Mi hermano es pelirrojo y tiene el pelo liso.
6. Mi hermana tiene el pelo rubio y rizado.
7. Mi novia tiene el pelo negro y rizado y los ojos azules.
8. Mi padre es pelirrojo. Tiene el pelo largo y liso y los ojos marrones.
9. Tengo doce años. Tengo los ojos verdes y el pelo rubio y liso.
10. Tiene quince años. Tiene el pelo largo, negro y rizado y los ojos verdes.

DETECTIVES & INFORMANTS

DETECTIVES	Español	English
¿Cómo es el tío de Miriam?	Es generoso	He is generous
¿Cómo es el hermano mayor de Miriam?	Es inteligente	He is intelligente
¿Cómo es la tía de Miriam?	Es antipática	She is mean
¿La madre de Miriam es gorda o delgada?	Es delgada	She is thin
¿El padre de Miriam es alto o bajo?	Es bajo	He is short
¿Cómo es el hermano menor de Miriam?	Es simpático	He is nice
¿Cómo es el abuelo de Miriam?	Es terco	He is stubborn
¿Cómo es la abuela de Miriam?	Es amable	She is kind

 **THE LANGUAGE GYM**

UNIT 8
Describing myself and another family member

INSTRUCTIONS
FOR ALL GAMES
ARE ON PAGES 1-2

¿Cuántas personas hay en tu familia?	*How many people are there in your family?*			
¿Cómo es tu padre/madre?	*What is your father/mother like?*			
¿Te llevas bien con tu hermano/a?	*Do you get on well with your brother/sister?*			

En mi familia somos cuatro personas — *In my family we are four people*

Hay cinco personas en mi familia — *There are five people in my family*

Me gusta *I like* **No me gusta** *I don't like*	**mi abuelo Jaime** *my grandfather Jaime* **mi hermano mayor** *my older brother* **mi hermano menor** *my younger brother* **mi padre Juan** *my father Juan* **mi perro/gato** *my dog/cat* **mi primo Ian** *my cousin Ian* **mi tío Iván** *my uncle Iván*	**porque** *because*	**es** *he/she is* **es bastante** *he/she is quite*	alto — *tall* amable — *kind* bajo — *short* bueno — *good* delgado — *slim* fuerte — *strong* gordo — *fat* guapo — *handsome* antipático — *mean* divertido — *fun* generoso — *generous* inteligente — *clever* simpático — *nice* terco — *stubborn* tranquilo — *calm*
Me llevo bien con *I get on well with* **Me llevo mal con** *I get on badly with*	**mi abuela Adela** *my grandmother Adela* **mi hermana menor** *my younger sister* **mi hermana mayor** *my older sister* **mi madre Ángela** *my mother Ángela* **mi prima Clara** *my cousin Clara* **mi tía Gina** *my aunt Gina* **mi tortuga** *my turtle*		**es muy** *he/she is very* **es un poco** *he/she is a bit*	alta amable baja buena delgada fuerte gorda guapa antipática divertida generosa inteligente simpática terca tranquila

UNIT 8 – FIND SOMEONE WHO – Student Cards

Mi padre es alto. Mi madre es graciosa. **EDUARDO**	Mi padre es terco. Mi madre es inteligente. **ÁLVARO**	Mi padre es guapo. Mi madre es divertida. **REGINA**	Mi padre es simpático. Mi madre es generosa. **CONSUELO**
Mi padre es musculoso. Mi madre es divertida. **GONZALO**	Mi padre es divertido. Mi madre es paciente. **ROBERTO**	Mi padre es terco. Mi madre es delgada. **TERESA**	Mi padre es fuerte. Mi madre es un poco baja. **IGNACIO**
Mi padre es un poco gordo. Mi madre es generosa. **JOAQUÍN**	Mi padre es inteligente. Mi madre no es paciente. **ESTELA**	Mi padre es gordo. Mi madre es delgada. **JUANA**	Mi padre es antipático. Mi madre es amable. **CARMEN**
Mi padre es muy fuerte. Mi madre es guapa. **ADRIÁN**	Mi padre es delgado. Mi madre es amable. **MARINA**	Mi padre es bajo. Mi madre es alta. **ANTONIA**	Mi padre es bueno. Mi madre es divertida. **ALEJANDRA**

UNIT 8 – FIND SOMEONE WHO – Student Grid

Find someone who...		Name
1.	...has a tall father.	
2.	...has an intelligent mother.	
3.	...has a good-looking father.	
4.	...has a fun mother.	
5.	...has a muscular father.	
6.	...has a fun father.	
7.	...has a stubborn father.	
8.	...has a mother who is a bit short.	
9.	...has a generous mother.	
10.	...has an intelligent father.	
11.	...has a slim mother.	
12.	...has a kind mother.	
13.	...is a red herring! 🐟 (No match)	

UNIT 8 – ORAL PING PONG – Person A

ENGLISH 1	SPANISH 1	ENGLISH 2	SPANISH 2
I like my father because he is kind.	Me gusta mi padre porque es amable.	**I don't like my younger brother because he is mean.**	No me gusta mi hermano menor porque es antipático.
I don't like my mother because she is stubborn.		**My auntie Gina is short, slim and beautiful.**	
I like my dog because he is fun.	Me gusta mi perro porque es divertido.	**My uncle Pedro is tall and fat.**	Mi tío Pedro es alto y gordo.
I like my cat because he is fat.		**My younger sister is short but strong.**	
I like my younger brother because he is fun.	Me gusta mi hermano menor porque es divertido.	**My older brother is very handsome and muscular.**	Mi hermano mayor es muy guapo y musculoso.
I like my older sister because she is intelligent.		**My younger sister is short and slim.**	
I get on with my father because he is nice.	Me llevo bien con mi padre porque es simpático.	**My father is tall and a bit fat.**	Mi padre es alto y un poco gordo.
I get on badly with my mother because she is mean.		**My mother is intelligent and kind but a bit stubborn.**	
I don't get on with my brother because he is stubborn.	No me llevo bien con mi hermano porque es terco.	**My grandfather is tall, slim and handsome.**	Mi abuelo es alto, delgado y guapo.
I like my mother because she is nice.		**My grandmother is very kind, nice and intelligent.**	

UNIT 8 – ORAL PING PONG – Person B

ENGLISH 1	SPANISH 1	ENGLISH 2	SPANISH 2
I like my father because he is kind.		I don't like my younger brother because he is mean.	
I don't like my mother because she is stubborn.	No me gusta mi madre porque es terca.	My auntie Gina is short, slim and beautiful.	Mi tía Gina es baja, delgada y guapa.
I like my dog because he is fun.		My uncle Pedro is tall and fat.	
I like my cat because he is fat.	Me gusta mi gato porque es gordo.	My younger sister is short but strong.	Mi hermana menor es baja pero fuerte.
I like my younger brother because he is fun.		My older brother is very handsome and muscular.	
I like my older sister because she is intelligent.	Me gusta mi hermana mayor porque es inteligente.	My younger sister is short and slim.	Mi hermana menor es baja y delgada.
I get on with my father because he is nice.		My father is tall and a bit fat.	
I get on badly with my mother because she is mean.	Me llevo mal con mi madre porque es antipática.	My mother is intelligent and kind but a bit stubborn.	Mi madre es inteligente y amable, pero un poco terca.
I don't get on with my brother because he is stubborn.		My grandfather is tall, slim and handsome.	
I like my mother because she is nice.	Me gusta mi madre porque es simpática.	My grandmother is very kind, nice and intelligent.	Mi abuela es muy amable, simpática e inteligente.

 THE LANGUAGE GYM

No Snakes No Ladders

START	**1** Do you like your cousin Pedro?	**2** Do you like your cousin Susana?	**3** Why do you like your aunt Ana?	**4** Why don't you get on with your father?	**5** I get on with my mother because she is very kind.	**6** I like my brother because he is fun.	**7** I don't like my uncle Mario because he is mean.
15 My mother is very slim. My father is a bit fat.	**14** My brother is tall. My sister is short.	**13** Do you like your cousin Paco?	**12** Why don't you like your aunt Ana?	**11** Why don't you get on with your father?	**10** I really like my father because he is fun, intelligent and nice.	**9** I like my mother because she is intelligent and kind.	**8** I like my uncle because is tall and strong.
16 My aunt is very nice. My uncle is mean.	**17** My father is 47. He is tall and strong. He is very nice.	**18** Do you get on with your grandfather?	**19** Do you like your uncle Juan Carlos?	**20** I get on badly with my cousin because he is mean and stubborn.	**21** My cousin Mariana is tall and strong. She is also very kind.	**22** My mother is short, slim and muscular. She is also a lot of fun.	**23** My grandfather is 74. He is very tall. I like him because he is very kind.
FINISH	**30** I love my father because he is fun, intelligent and kind.	**29** I get on with my mother because she is very kind.	**28** Do you not like your cousin Susana?	**27** Why don't you get on with your father?	**26** My uncle Miguel is very handsome but he is very mean and stubborn.	**25** My older brother is called Felipe. He is 16. He is tall and slim.	**24** My father is 38. He is short and a bit fat but handsome.

No Snakes No Ladders

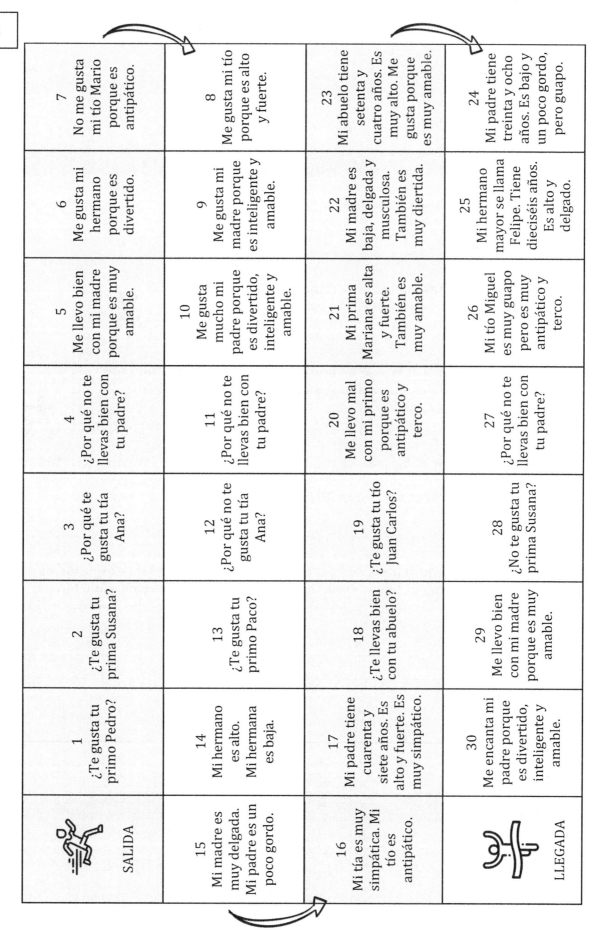

7 No me gusta mi tío Mario porque es antipático.	**6** Me gusta mi hermano porque es divertido.	**5** Me llevo bien con mi madre porque es muy amable.	**4** ¿Por qué no te llevas bien con tu padre?	**3** ¿Por qué te gusta tu tía Ana?	**2** ¿Te gusta tu prima Susana?	**1** ¿Te gusta tu primo Pedro?
8 Me gusta mi tío porque es alto y fuerte.	**9** Me gusta mi madre porque es inteligente y amable.	**10** Me gusta mucho mi padre porque es divertido, inteligente y amable.	**11** ¿Por qué no te llevas bien con tu padre?	**12** ¿Por qué no te gusta tu tía Ana?	**13** ¿Te gusta tu primo Paco?	**14** Mi hermano es alto. Mi hermana es baja.
23 Mi abuelo tiene setenta y cuatro años. Es muy alto. Me gusta porque es muy amable.	**22** Mi madre es baja, delgada y musculosa. También es muy diertida.	**21** Mi prima Mariana es alta y fuerte. También es muy amable.	**20** Me llevo mal con mi primo porque es antipático y terco.	**19** ¿Te gusta tu tío Juan Carlos?	**18** ¿Te llevas bien con tu abuelo?	**17** Mi padre tiene cuarenta y siete años. Es alto y fuerte. Es muy simpático.
24 Mi padre tiene treinta y ocho años. Es bajo y un poco gordo, pero guapo.	**25** Mi hermano mayor se llama Felipe. Tiene dieciséis años. Es alto y delgado.	**26** Mi tío Miguel es muy guapo pero es muy antipático y terco.	**27** ¿Por qué no te llevas bien con tu padre?	**28** ¿No te gusta tu prima Susana?	**29** Me llevo bien con mi madre porque es muy amable.	**16** Mi tía es muy simpática. Mi tío es antipático.
					30 Me encanta mi padre porque es divertido, inteligente y amable.	**15** Mi madre es muy delgada. Mi padre es un poco gordo.
					LLEGADA	**SALIDA**

UNIT 8 – STAIRCASE TRANSLATION

I don't like my uncle Josh because he is mean...

I don't like my uncle Josh because he is mean and stubborn...

I don't like my uncle Josh because he is mean and stubborn but I love my aunt Miriam because she is kind and generous.

I don't like my uncle Josh because he is mean and stubborn but I love my aunt Miriam because she is kind and generous. I like my cousin Pedro because he is very nice and fun.

I don't like my uncle Josh because he is mean and stubborn but I love my aunt Miriam because she is kind and generous. I like my cousin Pedro because he is very nice and fun but I get on badly with my cousin Alejandra because she is very mean and arrogant.

* I don't like my uncle Josh because he is mean and stubborn but I love my aunt Miriam because she is kind and generous. I like my cousin Pedro because he is very nice and fun but I get on badly with my cousin Alejandra because she is very mean and arrogant. And you, do you get on with your uncles and cousins?

* Translate the
last step here:

⏱ UNIT 8 – FASTER! 🚀

Say:

1. I like my father a lot.
2. I love my mother.
3. My mother is tall and slim.
4. My dog is fat and funny.
5. My brother is kind and fun.
6. My sister is strong and mean.
7. My uncle is very nice.
8. My aunt is very stubborn.
9. My grandmother is generous.
10. Do you get on with your cousin Ángela?

	Time	Mistakes	Referee's name
1			
2			
3			
4			

 # UNIT 8 – FAST & FURIOUS
Focus on comparative words

1. Mi hermano es _____ _____ que yo.   *taller*

2. Mi mejor amiga es _____ _____ que mi hermana.   *kinder*

3. Mi tortuga es _____ _____ que mi perro.   *less funny*

4. Mi primo es _____ _____ como yo.   *as lazy*

5. Mi abuelo es _____ _____ que mi abuela.   *less affectionate*

6. Mi gato es _____ _____ que mi perro.   *uglier*

7. Mi tío es _____ _____ que mi tía.   *less hard-working*

8. Mi hermano mayor es _____ _____ como mi hermano menor   *as good looking*

9. Mi gato es _____ _____ que mi perro.   *meaner*

10. Mi perro es _____ _____ que mi gato.   *fatter*

	Time 1	Time 2	Time 3	Time 4
Time				
Mistakes				

THE LANGUAGE GYM

UNIT 8 – COMMUNICATIVE DRILLS

1	2	3
Do you get on with your father? - Yes, I get on with my father because he is kind and patient. **Do you get on with your mother?** - No, I don't get on with my mother because she is very strict *(estricta)*.	**Do you get on with your mother?** - Yes, I get on with my mother because she is very nice and generous. **Do you get on with your father?** - No, I don't get on with my father because he is very mean and not very generous.	**Do you get on with your older brother?** - Yes, I get on with my older brother because he is kind, patient and generous. **Do you get on with your younger brother?** - No, I don't get on with my younger brother because he is very arrogant, mean and stubborn.

4	5	6
What is your mother like? - Physically *(Físicamente)* she is very tall, a bit fat but good-looking. In terms of character *(En cuanto a su carácter)* she is kind, nice, very generous and patient.	**What is your father like?** - Physically he is not very tall. He is slim and a bit muscular. In terms of character he is kind, patient and strong.	**What is your grandmother like?** - Physically she is very short and a quite slim. In terms of character she is very kind, generous and caring *(cariñosa)*.

7	8	9
Why don't you like your cousin Fernando? - I don't like my cousin Fernando because is very mean and stubborn. **Do you like your cousin María Elena?** - Yes, because she is fun and kind.	**Why don't you like your uncle Sergio?** - I don't like my uncle Sergio because is very arrogant and not very intelligent. **Do you like your aunt Susana?** - Yes, because she is very nice and generous.	**Why don't you like your maths teacher?** - I don't like my maths teacher because is mean. **Do you like your science teacher?** - Yes, because she is very kind and fun.

UNIT 8 – COMMUNICATIVE DRILLS REFEREE CARD

1	2	3
¿Te llevas bien con tu padre? - Sí, me llevo bien con mi padre porque es amable y paciente. **¿Te llevas bien con tu madre?** - No, no me llevo bien con mi madre porque ella es muy estricta.	**¿Te llevas bien con tu madre?** - Sí, me llevo bien con mi madre porque es muy simpática y generosa. **¿Te llevas bien con tu padre?** - No, no me llevo bien con mi padre porque es muy antipático y poco generoso.	**¿Te llevas bien con tu hermano mayor?** - Sí, me llevo bien con mi hermano mayor porque es amable, paciente y generoso. **¿Te llevas bien con tu hermano menor?** - No, no me llevo bien con mi hermano menor porque es muy arrogante, antipático y terco.

4	5	6
¿Cómo es tu madre? - Físicamente es muy alta, un poco gorda pero guapa. En cuanto a su carácter, es amable, simpática, muy generosa y paciente.	**¿Cómo es tu padre?** - Físicamente no es muy alto. Es delgado y un poco musculoso. En cuanto a su carácter, es amable, paciente y fuerte.	**¿Cómo es tu abuela?** - Físicamente es muy bajita y bastante delgada. En cuanto a su carácter, es muy amable, generosa y cariñosa.

7	8	9
¿Por qué no te gusta tu primo Fernando? - No me gusta mi primo Fernando porque es muy antipático y terco. **¿Te gusta tu prima María Elena?** - Sí, porque ella es divertida y amable.	**¿Por qué no te gusta tu tío Sergio?** - No me gusta mi tío Sergio porque es muy arrogante y no es muy inteligente. **¿Te gusta tu tía Susana?** - Sí, porque es muy simpática y generosa.	**¿Por qué no te gusta tu profesor de matemáticas?** - No me gusta mi profesor de matemáticas porque es antipático. **¿Te gusta tu profesor de ciencias?** - Sí, porque ella es muy amable y divertida.

UNIT 8 – SURVEY

	What is your name?	How many people are there in your family?	What is your father like?	Do you get on well with your mother?	Do you get on well with your brother/sister?
	¿Cómo te llamas?	¿Cuántas personas hay en tu familia?	¿Cómo es tu padre?	¿Te llevas bien con tu madre?	¿Te llevas bien con tu hermano/a?
e.g.	Me llamo Ana.	En mi familia hay cuatro personas: mi padre, mi madre, mi hermana y yo.	Es muy amable y generoso.	Sí, me llevo bien con mi madre porque es muy paciente.	Sí, me llevo bien con mi hermana porque es muy simpática.
1					
2					
3					
4					
5					
6					
7					

UNIT 8 – ANSWERS

FIND SOMEONE WHO

Find someone who...	Name
1. ...has a tall father.	Eduardo
2. ...has an intelligent mother.	Álvaro
3. ...has a good-looking father.	Regina
4. ...has a fun mother.	Regina / Alejandra / Gonzalo
5. ...has a muscular father.	Gonzalo
6. ...has a fun father.	Roberto
7. ...has a stubborn father.	Teresa / Álvaro
8. ...has a mother who is a bit short.	Ignacio
9. ...has a generous mother.	Joaquín / Consuelo
10. ...has an intelligent father.	Estela
11. ...has a slim mother.	Juana / Teresa
12. ...has a kind mother.	Carmen / Marina
13. ...is a red herring! 🐟 (No match)	Adrián / Antonia

STAIRCASE TRANSLATION

No me gusta mi tío Josh porque es antipático y terco, pero me encanta mi tía Miriam porque es amable y generosa. Me gusta mi primo Pedro porque es muy simpático y divertido pero me llevo mal con mi prima Alejandra porque es muy antipática y arrogante. Y tú, ¿te llevas bien con tus tíos y primos?

FASTER!

REFEREE SOLUTION:

1. Me gusta mucho mi padre.
2. Me encanta mi madre.
3. Mi madre es alta y delgada.
4. Mi perro es gordo y gracioso.
5. Mi hermano es amable y divertido.
6. Mi hermana es fuerte y antipática.
7. Mi tío es muy simpático.
8. Mi tía es muy terca.
9. Mi abuela es generosa.
10. ¿Te llevas bien con tu prima Ángela?

FAST & FURIOUS

1. Mi hermano es **más alto** que yo.	*taller*
2. Mi mejor amiga es **más amable** que mi hermana.	*kinder*
3. Mi tortuga es **menos graciosa** que mi perro.	*less funny*
4. Mi primo es **tan perezoso** como yo.	*as lazy*
5. Mi abuelo es **menos cariñoso** que mi abuela.	*less affectionate*
6. Mi gato es **más feo** que mi perro.	*uglier*
7. Mi tío es **menos trabajador** que mi tía.	*less hard-working*
8. Mi hermano mayor es **tan guapo** como mi hermano menor.	*as good looking*
9. Mi gato es **más antipático** que mi perro.	*meaner*
10. Mi perro es **más gordo** que mi gato.	*fatter*

UNIT 9
Comparing people

¿Cómo es tu mejor amigo/a? *What is your best friend like?*					
Él **Ella** **Mi abuela** **Mi abuelo** **Mi amiga <u>Ana</u>** **Mi amigo <u>Paco</u>** **Mi gato** **Mi hermana** **Mi hermano** **Mi hijo** **Mi hija** **Mi madre** **Mi mejor amiga** **Mi mejor amigo** **Mi novio** *(bf)* **Mi novia** *(gf)* **Mi padre** **Mi pato** **Mi perro** **Mi prima** **Mi primo** **Mi tortuga** **Mi tía** **Mi tío**	**es** *is*	**más** *more* **menos** *less*	**aburrido/a** *boring* **alto/a** *tall* **amable** *kind* **antipático/a** *mean* **bajo/a** *short* **cariñoso/a** *affectionate* **débil** *weak* **delgado/a** *slim* **deportista** *sporty* **divertido/a** *fun* **feo/a** *ugly* **fuerte** *strong* **gordo/a** *fat* **guapo/a** *good-looking* ***hablador/a** *talkative* **inteligente** *intelligent* **joven** *young* **perezoso/a** *lazy* **ruidoso/a** *noisy* **trabajador/a** *hard-working*	**que** *than* **como** *as*	**él** **ella** **mi abuela** **mi abuelo** **mi amiga Ana** **mi amigo Paco** **mi gato** **mi hermano/a** **mi hija** **mi hijo** **mi madre** **mi mejor amiga** **mi mejor amigo** **mi novio/a** **mi padre** **mi pato** **mi perro** **mi prima** **mi primo** **mi tortuga** **mi tía** **mi tío** **yo**
Mis abuelos **Mis hermanas** **Mis hermanos** **Mis padres** **Mis primas** **Mis primos** **Mis tíos**	**son** *are*	**tan** *as*	**serios/as** *serious* **simpáticos/as** *nice* **tontos/as** *silly* ***trabajadores/as** *hard-working* **tranquilos/as** *calm* **viejos/as** *old*		**mis abuelos** **mis hermanas** **mis hermanos** **mis padres** **mis primas** **mis primos** **mis tíos** **nosotros** *(us)*

Author's note: Add an 'S' at the end of your adjectives for plurals (when describing more than one person).
E.g. Mis padres son más TRANQUILOS que mis tíos.
Add an ES/AS on adjectives ending in 'R' – like "trabajador" (trabajadores) or "hablador" (habladoras).

UNIT 9 – FIND SOMEONE WHO – Student Cards

Mi hermana es más deportista que mi hermano. **ÓSCAR**	Mi hermana es más habladora que mi hermano. **RAÚL**	Mi hermano es más simpático que mi hermana. **ISABEL**	Mi perro es más aburrido que mi gato. **FERNANDO**
Mi hermana es tan fuerte como mi hermano. **VÍCTOR**	Mi hermana es más tranquila que mi hermano. **MARTÍN**	Mi gato es más gordo que mi perro. **BELÉN**	Mi hermana es menos ruidosa que mi hermano. **SONIA**
Mi gato es más feo que mi perro. **RUBÉN**	Mi hermano menor es más bajo que mi hermano mayor. **PAULA**	Mi hermana es tan trabajadora como mi hermano. **LOURDES**	Mi hermana es más amable que mi hermano. **RAFA**
Mi hermano es más perezoso que un perezoso. **JULIO**	Mi perro es más gordo que mi gato. **PATRICIA**	Mi hermana es más deportista que mi hermano. **ROSA**	Mi perro es más tonto que mi gato. **MARÍA**

UNIT 9 – FIND SOMEONE WHO – Student Grid

Find someone whose...		Name
1.	...sister is sportier than their brother.	
2.	...sister is more talkative than their brother.	
3.	...brother is nicer than their sister.	
4.	...dog is more boring than their cat.	
5.	...sister is as strong as their brother.	
6.	...sister is calmer than their brother.	
7.	...cat is fatter than their dog.	
8.	...sister is less noisy than their brother.	
9.	...cat is uglier than their dog.	
10.	...little brother is shorter than their big brother.	
11.	...sister is as hard-working as their brother.	
12.	...sister is kinder than their brother.	
13.	...brother is lazier than a sloth.	
14.	...is a red herring! 🐟 (No match)	

 **THE LANGUAGE GYM**

UNIT 9 – ORAL PING PONG – Person A

ENGLISH 1	SPANISH 1	ENGLISH 2	SPANISH 2
My grandfather is taller than my father.	Mi abuelo es más alto que mi padre.	**She is more boring than him.**	Ella es más aburrida que él.
My sister is shorter than me.		**My friend Ana is weaker than me.**	
My best friend (f) is less hard-working than me.	Mi mejor amiga es menos trabajadora que yo.	**My friend Paco is less tall than me.**	Mi amigo Paco es menos alto que yo.
My son is more handsome than me.		**My turtle is more intelligent than my dog.**	
My mother is as talkative as my sister.	Mi madre es tan habladora como mi hermana.	**My grandmother is younger than my grandfather.**	Mi abuela es más joven que mi abuelo.
My dog is noisier than my cat.		**My uncle is older than my father.**	
My older brother is less affectionate than my younger brother.	Mi hermano mayor es menos cariñoso que mi hermano menor.	**My brother is less nice than my sister.**	Mi hermano es menos simpático que mi hermana.
My mother is prettier than my aunt.		**My mother is more serious than my father.**	
My father is sportier than me.	Mi padre es más deportista que yo.	**My aunt is kinder than my uncle.**	Mi tía es más amable que mi tío.
My best friend (m) is as strong as me.		**My cousin (f) is more silly than my sister.**	

UNIT 9 – ORAL PING PONG – Person B

ENGLISH 1	SPANISH 1	ENGLISH 2	SPANISH 2
My grandfather is taller than my father.		She is more boring than him.	
My sister is shorter than me.	Mi hermana es más baja que yo.	My friend Ana is weaker than me.	Mi amiga Ana es más débil que yo.
My best friend (f) is less hard-working than me.		My friend Paco is less tall than me.	
My son is more handsome than me.	Mi hijo es más guapo que yo.	My turtle is more intelligent than my dog.	Mi tortuga es más inteligente que mi perro.
My mother is as talkative as my sister.		My grandmother is younger than my grandfather.	
My dog is noisier than my cat.	Mi perro es más ruidoso que mi gato.	My uncle is older than my father.	Mi tío es más viejo que mi padre.
My older brother is less affectionate than my younger brother.		My brother is less nice than my sister.	
My mother is prettier than my aunt.	Mi madre es más guapa que mi tía.	My mother is more serious than my father.	Mi madre es más seria que mi padre.
My father is sportier than me.		My aunt is kinder than my uncle.	
My best friend (m) is as strong as me.	Mi mejor amigo es tan fuerte como yo.	My cousin (f) is more silly than my sister.	Mi prima es más tonta que mi hermana.

No Snakes No Ladders

UNIT 9

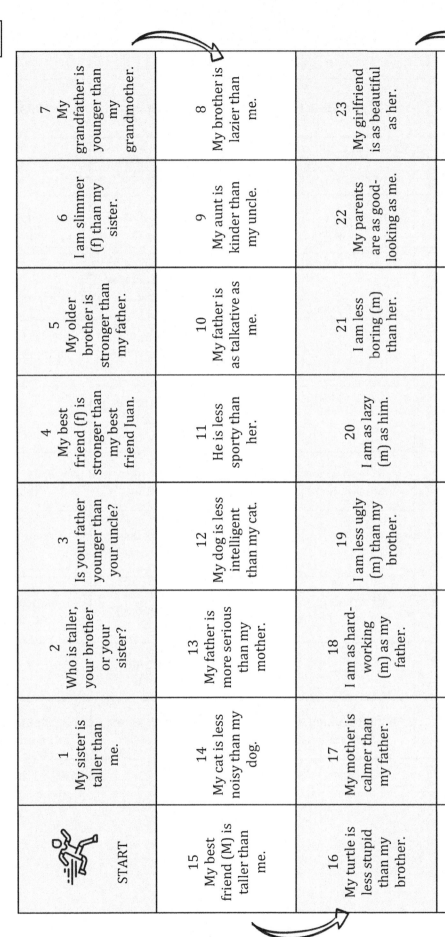

7 My grandfather is younger than my grandmother.	**8** My brother is lazier than me.	**23** My girlfriend is as beautiful as her.	**24** He is less affectionate than her.			

6 I am slimmer (f) than my sister.	**9** My aunt is kinder than my uncle.	**22** My parents are as good-looking as me.	**25** My uncle is nicer than my aunt.

5 My older brother is stronger than my father.	**10** My father is as talkative as me.	**21** I am less boring (m) than her.	**26** My parents are more hard-working than my uncles.

4 My best friend (f) is stronger than my best friend Juan.	**11** He is less sporty than her.	**20** I am as lazy (m) as him.	**27** My parents are kinder than my grandparents.

3 Is your father younger than your uncle?	**12** My dog is less intelligent than my cat.	**19** I am less ugly (m) than my brother.	**28** My brother is shorter than me but he is stronger.

2 Who is taller, your brother or your sister?	**13** My father is more serious than my mother.	**18** I am as hard-working (m) as my father.	**29** I am not as strong as my brother but I am more handsome than him.

1 My sister is taller than me.	**14** My cat is less noisy than my dog.	**17** My mother is calmer than my father.	**30** I am not as intelligent as my father but I am funnier than him.

START	**15** My best friend (M) is taller than me.	**16** My turtle is less stupid than my brother.	FINISH

THE LANGUAGE GYM

114

No Snakes No Ladders

SALIDA	1 Mi hermana es más alta que yo.	2 ¿Quién es más alto, tu hermano o tu hermana?	3 ¿Tu padre es más joven que tu tío?	4 Mi mejor amiga es más fuerte que mi mejor amigo Juan.	5 Mi hermano mayor es más fuerte que mi padre.	6 Soy más delgada que mi hermana.	7 Mi abuelo es más joven que mi abuela.
15 Mi mejor amigo es más alto que yo.	14 Mi gato es menos ruidoso que mi perro.	13 Mi padre es más serio que mi madre.	12 Mi perro es menos inteligente que mi gato.	11 Él es menos deportista que ella.	10 Mi padre es tan hablador como yo.	9 Mi tía es más amable que mi tío.	8 Mi hermano es más perezoso que yo.
16 Mi tortuga es menos estúpida que mi hermano.	17 Mi madre es más tranquila que mi padre.	18 Soy tan trabajador como mi padre.	19 Soy menos feo que mi hermano.	20 Soy tan perezoso como él.	21 Soy menos aburrido que ella.	22 Mis padres son tan guapos como yo.	23 Mi novia es tan guapa como ella.
LLEGADA 	30 No soy tan inteligente como mi padre, pero soy más gracioso que él.	29 No soy tan fuerte como mi hermano, pero soy más guapo que él.	28 Mi hermano es más bajo que yo, pero es más fuerte.	27 Mis padres son más amables que mis abuelos.	26 Mis padres son más trabajadores que mis tíos.	25 Mi tío es más simpático que mi tía.	24 Él es menos cariñoso que ella.

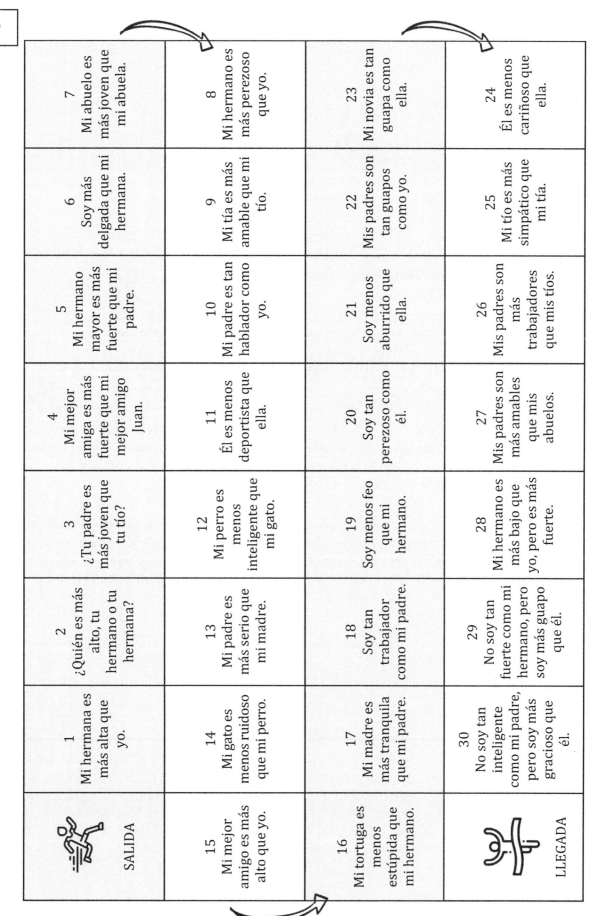

THE LANGUAGE GYM

UNIT 9 – STAIRCASE TRANSLATION

Hi. My name is Juan Carlos. I am 12. I have a brother and sister.

Hi. My name is Juan Carlos. I am 12. I have a brother and sister. My sister is taller and slimmer than me...

Hi. My name is Juan Carlos. I am 12. I have a brother and sister. My sister is taller and slimmer than me but she is less fun and less hard-working.

Hi. My name is Juan Carlos. I am 12. I have a brother and sister. My sister is taller and slimmer than me but she is less fun and less hard-working. My brother is shorter and fatter than me, but is more intelligent, sporty and stronger than me.

Hi. My name is Juan Carlos. I am 12. I have a brother and sister. My sister is taller and slimmer than me but she is less fun and less hard-working. My brother is shorter and fatter than me, but is more intelligent, sporty and stronger than me. I have a girlfriend. She is more talkative and friendlier than me.

* Hi. My name is Juan Carlos. I am 12. I have a brother and sister. My sister is taller and slimmer than me but she is less fun and less hard-working. My brother is shorter and fatter than me, but is more intelligent, sporty and stronger than me. I have a girlfriend. She is more talkative and funnier than me. My best friend, Pablo, is as tall and slim as me, but is much stronger. He is very kind.

* Translate the
last step here:

UNIT 9 – FASTER!

Say:

1. I am taller than my brother.
2. I am less strong than my cousin (f).
3. My sister is less fun than me.
4. My father is shorter than my mother.
5. My grandfather is older than my grandmother.
6. My father is less talkative than my mother.
7. My sister is noisier than my dog.
8. I am more hard-working than my friends.
9. My dog is less intelligent than my cat.
10. My brothers are less handsome than me.

	Time	Mistakes	Referee's name
1			
2			
3			
4			

UNIT 9 – TRAPDOOR

Me gusta Me gusta mucho Me encanta No me gusta Odio a	mi profesora de	alemán arte ciencias educación física español francés historia informática inglés matemáticas música teatro tecnología	porque	nunca siempre	es aburrida es amable es antipática es estricta es graciosa es impaciente es paciente es simpática es trabajadora está de buen humor está de mal humor me comprende me escucha me regaña me ayuda me chilla

1. I love my art teacher because she is kind.
2. I don't like my maths teacher because she is always in a bad mood.
3. I like a lot my French teacher because she is patient.
4. I hate my science teacher because she always tells me off.
5. I like my Spanish teacher because she is always in a good mood.
6. I love my history teacher because she is hard working.
7. I like my PE teacher because she is kind.
8. I don't like my German teacher because she never helps me.

UNIT 9 – COMMUNICATIVE DRILLS

1	2	3
Do you have many things in common with your parents, Pablo? - Yes. I think so. I am as talkative as my mother and as hard-working as my father. **And how are you different?** - I am slimmer and better looking.	**Do you have many things in common with your father, Sergio?** - Yes. I think so. I am as tall and strong as him. **And how are you different?** - I am less fat because I am sportier and less lazy than him.	**Do you have many things in common with your mother, Mariela?** - Yes. I think so. I am as pretty and as calm as her. **And how are you different?** - I am a bit fatter and not as tall as her.
4	5	6
Do you have many things in common with your brother, Felipe? - Yes. I think so. I am as talkative, friendly and affectionate as he. **And how are you different?** - I am less lazy and silly.	**Do you have many things in common with your sister, Alejandro?** - No, I don't think so. I am less hard-working, less intelligent and less sporty than her. **And do you have many things in common with your brother?** - Yes. I am as lazy, funny and calm as him.	**Do you have many things in common with your mother, Consuelo?** - Yes. I think so. I am as short and slim as her. Also, I am as talkative and affectionate as her. **And how are you different?** - I am a bit less strong and hard-working.

UNIT 9 – COMMUNICATIVE DRILLS
REFEREE CARD

1	2	3
¿Tienes muchas cosas en común con tus padres, Pablo? - Sí. Creo que sí. Soy tan hablador como mi madre y tan trabajador como mi padre. **¿Y en qué te diferencias de ellos?** - Soy más delgado y más guapo.	¿Tienes muchas cosas en común con tu padre, Sergio? - Sí. Creo que sí. Soy tan alto y fuerte como él. **¿Y en qué te diferencias de él?** - Soy menos gordo porque soy más deportista y menos perezoso que él.	¿Tienes muchas cosas en común con tu madre, Mariela? - Sí. Creo que sí. Soy tan bonita y tan tranquila como ella. **¿Y en qué te diferencias de ella?** - Soy un poco más gorda y no tan alta como ella.
4	**5**	**6**
¿Tienes muchas cosas en común con tu hermano, Felipe? - Sí. Creo que sí. Soy tan hablador, simpático y cariñoso como él. **¿Y en qué te diferencias de él?** - Soy menos perezoso y tonto.	¿Tienes muchas cosas en común con tu hermana, Alejandro? - No, creo que no. Soy menos trabajador, menos inteligente y menos deportista que ella. **¿Y tienes muchas cosas en común con tu hermano?** - Sí. Soy tan perezoso, divertido y tranquilo como él.	¿Tienes muchas cosas en común con tu madre, Consuelo? - Sí. Creo que sí. Soy tan baja y delgada como ella. Además, soy tan habladora y cariñosa como ella. **¿Y en qué te diferencias de ella?** - Soy un poco menos fuerte y trabajadora.

UNIT 9 – SURVEY

	What is your name?	How old are you?	Do you have brothers or sisters?	How are you different from your brother/sister?	How are you similar to your brother/sister?
	¿Cómo te llamas?	¿Cuántos años tienes?	¿Tienes hermanos o hermanas?	¿En qué te diferencias de tu hermano / hermana?	¿En qué te pareces a tu hermano / hermana?
e.g.	Me llamo Felipe.	Tengo once años.	Tengo una hermana.	Soy más alto y gordo que mi hermana. También soy más trabajador que ella.	Soy tan guapo y hablador como ella.
1					
2					
3					
4					
5					
6					
7					

UNIT 9 – ANSWERS

FIND SOMEONE WHO

Find someone whose...		Name
1.	...sister is sportier than their brother.	Óscar / Rosa
2.	...sister is more talkative than their brother.	Raúl
3.	...brother is nicer than their sister.	Isabel
4.	...dog is more boring than their cat.	Fernando
5.	...sister is as strong as their brother.	Víctor
6.	...sister is calmer than their brother.	Martín
7.	...cat is fatter than their dog.	Belén
8.	...sister is less noisy than their brother.	Sonia
9.	...cat is uglier than their dog.	Rubén
10.	...little brother is shorter than their big brother.	Paula
11.	...sister is as hard-working as their brother.	Lourdes
12.	...sister is kinder than their brother.	Rafa
13.	...brother is lazier than a sloth.	Julio
14.	...is a red herring! 🐟 (No match)	Patricia / María

STAIRCASE TRANSLATION

Hola. Me llamo Juan Carlos. Tengo doce años. Tengo un hermano y una hermana. Mi hermana es más alta y delgada que yo, pero es menos divertida y menos trabajadora. Mi hermano es más bajo y más gordo que yo, pero es más inteligente, deportista y más fuerte que yo. Tengo (una) novia. Ella es más habladora y graciosa que yo. Mi mejor amigo, Pablo, es tan alto y delgado como yo, pero mucho más fuerte. Él es muy amable.

FASTER!

REFEREE SOLUTION:

1. Soy más alto que mi hermano.
2. Soy menos fuerte que mi prima.
3. Mi hermana es menos divertida que yo.
4. Mi padre es más bajo que mi madre.
5. Mi abuelo es más viejo que mi abuela.
6. Mi padre es menos hablador que mi madre.
7. Mi hermana es más ruidosa que mi perro.
8. Soy más trabajador/a que mis amigos.
9. Mi perro es menos inteligente que mi gato.
10. Mis hermanos son menos guapos que yo.

TRAPDOOR

1. Me encanta mi profesora de arte porque es amable.
2. No me gusta mi profesora de matemáticas porque siempre está de mal humor.
3. Me gusta mucho mi profesora de francés porque es paciente.
4. Odio a mi profesora de ciencias porque siempre me regaña.
5. Me gusta mi profesora de español porque siempre está de buen humor.
6. Me encanta mi profesora de historia porque es muy trabajadora.
7. Me gusta mi profesora de educación física porque es amable.
8. No me gusta mi profesora de alemán porque nunca me ayuda.

Unit 10
Describing my teachers &
saying why I like them

¿Qué profesor/a (no) te gusta? ¿Por qué?	Which teacher do you (not) like? Why?
¿Te gusta tu profesor/a de español? ¿Por qué?	Do you like your Spanish teacher? Why?

Me encanta *I love* **Me gusta** *I like* **No me gusta** *I don't like*	**mi profesor**	**de**	alemán arte ciencias educación física español francés historia informática inglés matemáticas música teatro tecnología	**porque (no) es** *because he/she is (not)*	**aburrido** *boring* **antipático** *mean* **estricto** *strict* **gracioso** *funny* **simpático** *nice* **trabajador** *hard-working*
					amable *kind* **impaciente** *impatient* **inteligente** *intelligent* **interesante** *interesting* **paciente** *patient*
	mi profesora				**aburrida** **antipática** **estricta** **graciosa** **simpática** **trabajadora**

Además, *Furthermore*	**me gusta** *I like him/her* **no me gusta** *I don't like him/her*	**porque**	**nunca** *never* **siempre** *always*

está de buen humor	*is in a good mood*
está de mal humor	*is in a bad mood*
me ayuda	*helps me*
me chilla/grita	*shouts at me*
me comprende	*understands me*
me escucha	*listens to me*
me regaña	*tells me off*
nos da pocos deberes	*gives us little homework*
nos da muchos deberes	*gives us lots of homework*
se enfada	*gets angry*

UNIT 10 – FIND SOMEONE WHO – Student Cards

Mi profesora de español es simpática. **ABEL**	Mi profesora de español es antipática. **GABRIEL**	Mi profesora de geografía es muy estricta. **VALERIA**	Mi profesora de geografía siempre me ayuda. **SERGIO**
Mi profesor de arte es gracioso. **IVÁN**	Mi profesora de arte es inteligente. **ESTEBAN**	Mi profesora de francés es paciente. **VERÓNICA**	Mi profesora de francés no es estricta. **SILVIA**
Mi profesora de ciencias es muy amable. **AITOR**	Mi profesora de ciencias es muy interesante. **ANDREA**	Mi profesora de historia es impaciente. **OLIVIA**	Mi profesora de historia nunca me regaña. **MARTA**
Mi profesor de español es trabajador. **ALEJANDRA**	Mi profesora de francés es tranquila. **MIRIAM**	Mi profesora de español es divertida. **MARIO**	Mi profesora de historia es aburrida. **AMPARO**

UNIT 10 – FIND SOMEONE WHO – Student Grid

	Find someone who...	Name
1.	...has a nice Spanish teacher.	
2.	...has a mean Spanish teacher.	
3.	...has a very strict geography teacher.	
4.	...has a geography teacher who always helps him.	
5.	...has a funny art teacher.	
6.	...has an intelligent art teacher.	
7.	...has a patient French teacher.	
8.	...has a French teacher who is not strict.	
9.	...has a very kind science teacher.	
10.	...has a very interesting science teacher.	
11.	...has an impatient history teacher.	
12.	...has a history teacher who never tells them off.	
13.	...has a hard-working Spanish teacher.	
14.	...has a calm French teacher.	
15.	...is a red herring! 🐟 (No match)	

UNIT 10 – ORAL PING PONG – Person A

ENGLISH 1	SPANISH 1	ENGLISH 2	SPANISH 2
I like my German teacher.	Me gusta mi profe de alemán.	I like my French teacher because he is funny and listens to me.	Me gusta mi profe de francés porque es muy divertido y me escucha.
I love my history teacher.		I don't like my Spanish teacher because he always tells me off.	
I don't like my English teacher.	No me gusta mi profe de inglés.	I like my German teacher because he never shouts at me.	Me gusta mi profe de alemán porque nunca me chilla.
I love my music teacher.		I don't like my history teacher because he never helps me.	
I like my French teacher.	Me gusta mi profe de francés.	I like my English teacher because she is funny and gives us little homework.	Me gusta mi profe de inglés porque es divertida y nos da pocos deberes.
I like my physics teacher because he is funny.		I don't like my maths teacher because he is boring and always gets angry.	
I don't like my science teacher because she is strict.	No me gusta mi profe de ciencias porque es estricta.	I like my PE teacher because he is always in a good mood.	Me gusta mi profe de educación física porque siempre está de buen humor.
I don't like my maths teacher because he is mean.		I don't like my science teacher because she is mean and gives us a lot of homework.	
I like my drama teacher because she is nice.	Me gusta mi profe de teatro porque es muy simpática.	I don't like my art teacher because she never helps me.	No me gusta mi profe de arte porque nunca me ayuda.
I don't like my technology teacher because he is lazy.		I love my music teacher because he is hard working and funny.	

UNIT 10 – ORAL PING PONG – Person B

ENGLISH 1	SPANISH 1	ENGLISH 2	SPANISH 2
I like my German teacher.		I like my French teacher because he is funny and listens to me.	
I love my history teacher.	Me encanta mi profe de historia.	I don't like my Spanish teacher because he always tells me off.	No me gusta mi profe de español porque siempre me regaña.
I don't like my English teacher.		I like my German teacher because he never shouts at me.	
I love my music teacher.	Me encanta mi profe de música	I don't like my history teacher because he never helps me.	No me gusta mi profe de historia porque nunca me ayuda.
I like my French teacher.		I like my English teacher because she is funny and gives us Little homework.	
I like my physics teacher because he is funny.	Me gusta mi profe de física porque es muy divertido.	I don't like my maths teacher because he is boring and always gets angry.	No me gusta mi profe de matematicas porque es aburrido y siempre se enfada.
I don't like my science teacher because she is strict.		I like my PE teacher because he is always in a good mood.	
I dont' like my maths teacher because he is mean .	No me gusta mi profe de matemáticas porque es antipático.	I don't like my science teacher because she is mean and gives us a lot of homework.	No me gusta mi profe de ciencias porque es antipática y nos da muchos deberes.
I like my drama teacher because she is nice.		I don't like my art teacher because she never helps me.	
I don't like my technology teacher because he is lazy.	No me gusta mi profe de tecnología porque es perezoso.	I love my music teacher because he is hard working and funny.	Me encanta mi profe de música porque es trabajador y gracioso.

 **THE LANGUAGE GYM**

No Snakes No Ladders

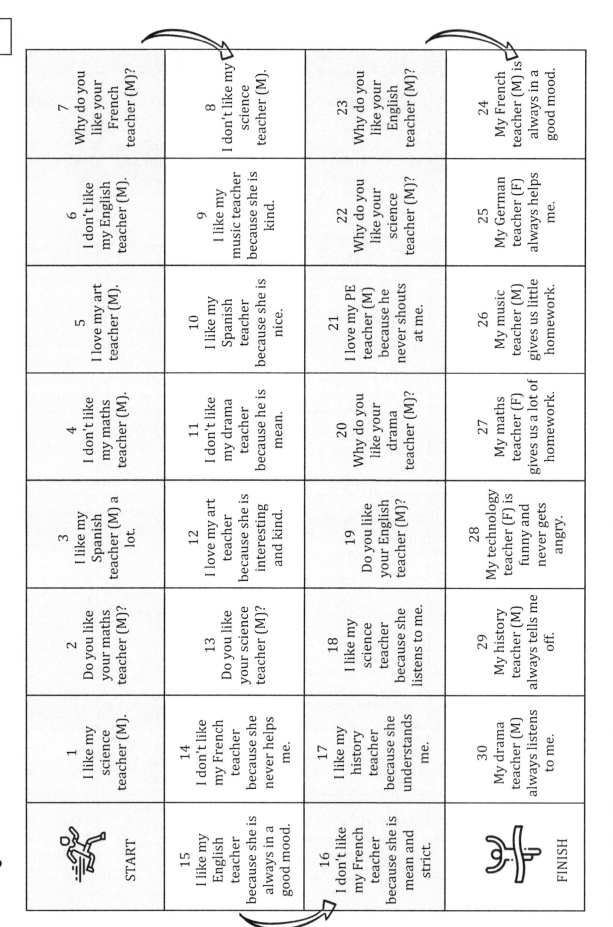

START

1 — I like my science teacher (M).

2 — Do you like your maths teacher (M)?

3 — I like my Spanish teacher (M) a lot.

4 — I don't like my maths teacher (M).

5 — I love my art teacher (M).

6 — I don't like my English teacher (M).

7 — Why do you like your French teacher (M)?

8 — I don't like my science teacher (M).

9 — I like my music teacher because she is kind.

10 — I like my Spanish teacher because she is nice.

11 — I don't like my drama teacher because he is mean.

12 — I love my art teacher because she is interesting and kind.

13 — Do you like your science teacher (M)?

14 — I don't like my French teacher because she never helps me.

15 — I like my English teacher because she is always in a good mood.

16 — I don't like my French teacher because she is mean and strict.

17 — I like my history teacher because she understands me.

18 — I like my science teacher because she listens to me.

19 — Do you like your English teacher (M)?

20 — Why do you like your drama teacher (M)?

21 — I love my PE teacher (M) because he never shouts at me.

22 — Why do you like your science teacher (M)?

23 — Why do you like your English teacher (M)?

24 — My French teacher (M) is always in a good mood.

25 — My German teacher (F) always helps me.

26 — My music teacher (M) gives us little homework.

27 — My maths teacher (F) gives us a lot of homework.

28 — My technology teacher (F) is funny and never gets angry.

29 — My history teacher (M) always tells me off.

30 — My drama teacher (M) always listens to me.

FINISH

THE LANGUAGE GYM

126

No Snakes No Ladders

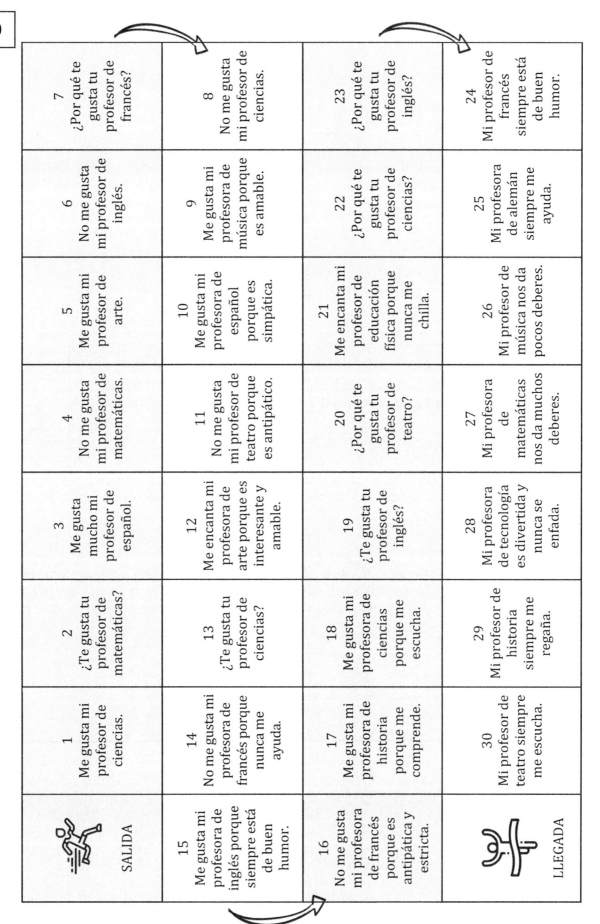

SALIDA	1 Me gusta mi profesor de ciencias.	2 ¿Te gusta tu profesor de matemáticas?	3 Me gusta mucho mi profesor de español.	4 No me gusta mi profesor de matemáticas.	5 Me gusta mi profesor de arte.
15 Me gusta mi profesora de inglés porque siempre está de buen humor.	14 No me gusta mi profesora de francés porque nunca me ayuda.	13 ¿Te gusta tu profesor de ciencias?	12 Me encanta mi profesora de arte porque es interesante y amable.	11 No me gusta mi profesor de teatro porque es antipático.	10 Me gusta mi profesora de español porque es simpática.
16 No me gusta mi profesora de francés porque es antipática y estricta.	17 Me gusta mi profesora de historia porque me comprende.	18 Me gusta mi profesora de ciencias porque me escucha.	19 ¿Te gusta tu profesor de inglés?	20 ¿Por qué te gusta tu profesor de teatro?	21 Me encanta mi profesor de educación física porque nunca me chilla.
LLEGADA	30 Mi profesor de teatro siempre me escucha.	29 Mi profesor de historia siempre me regaña.	28 Mi profesora de tecnología es divertida y nunca se enfada.	27 Mi profesora de matemáticas nos da muchos deberes.	26 Mi profesor de música nos da pocos deberes.
				25 Mi profesora de alemán siempre me ayuda.	24 Mi profesor de francés siempre está de buen humor.
				22 ¿Por qué te gusta tu profesor de ciencias?	23 ¿Por qué te gusta tu profesor de inglés?
				6 No me gusta mi profesor de inglés.	7 ¿Por qué te gusta tu profesor de francés?
				9 Me gusta mi profesora de música porque es amable.	8 No me gusta mi profesor de ciencias.

UNIT 10 – STAIRCASE TRANSLATION

I like my English teacher a lot.

I like my English teacher a lot because she is kind, funny and hard-working.

I like my English teacher a lot because she is kind, funny and hard-working. Moreover, she always listens to me and helps me and...

I like my English teacher a lot because she is kind, funny and hard-working. Moreover, she always listens to me and helps me and never shouts at me.

I like my English teacher a lot because she is kind, funny and hard-working. Moreover, she always listens to me and helps me and never shouts at me. However, I don't like my science teacher.

* I like my English teacher a lot because she is kind, funny and hard-working. Moreover, she always listens to me and helps me and never shouts at me. However, I don't like my science teacher because she is very strict and always tells me off. Moreover, she gives us a lot of homework.

* Translate the last step here:

⏱️ UNIT 10 – FASTER! 🖋️

Say:

1. I like my science teacher because she is funny.
2. I like my maths teacher because he is interesting.
3. I like my French teacher because she is always in a good mood.
4. I like my history teacher because she is very kind and nice.
5. I don't like my Spanish teacher because he never helps me.
6. I don't like my English teacher because he doesn't understand me.
7. I love my music teacher because he never gives us a lot of homework.
8. I don't like my technology teacher because he is boring and mean.

	Time	Mistakes	Referee's name
1			
2			
3			
4			

UNIT 10 – THINGS IN COMMON

	1	2	3	4
¿En qué mes es tu cumpleanos?				
¿Cuántos hermanos/hermanas tienes?				
¿Cómo es tu padre?				
¿Cómo es tu madre?				
¿Cuál es tu asignatura favorita?				
¿Qué haces en tu tiempo libre?				
¿Con qué frecuencia haces deporte?				

UNIT 10 – COMMUNICATIVE DRILLS

1	2	3
Why do you like your science teacher? - I like my science teacher because he is nice and fun and he always helps me. **Why don't you like your maths teacher?** - I don't like my maths teacher because he is strict and he is never in a good mood.	**Why do you like your science teacher?** - I like my science teacher because he is kind, patient and always listens to me. **Why don't you like your physics teacher?** - I don't like my physics teacher because she is boring, impatient and mean. Moreover, she never helps me when I don't understand.	**Why do you like your French teacher?** - I like my French teacher because she is very kind, patient and interesting. Moreover, she is always in a good mood and never shouts at me. **Why don't you like your art teacher?** - I don't like my art teacher because he always tells me off and gives us a lot of homework.
4	**5**	**6**
Why do you like your PE teacher? - I like my PE teacher because he is funny and hard-working. Moreover, he always gives us little homework. **Why don't you like your science teacher?** - I don't like my science teacher because he doesn't understand me and always shouts at me.	**Why do you like your history teacher?** - I like my history teacher because she is nice and funny. Moreover, she always listens to me and understands me **Why don't you like your music teacher?** - I don't like my music teacher because he is mean and impatient. Moreover, he always gets angry with me and gives us a lot of homework.	**Why do you like your drama teacher?** - I like my drama teacher because she is fun and hard-working. Moreover, she never shouts at me and gives us little homework **Why don't you like your English teacher?** - I don't like my English teacher because she always shouts at me and never helps me. Moreover, she is boring and not very hard-working.

UNIT 10 – COMMUNICATIVE DRILLS
REFEREE CARD

1	2	3
¿Por qué te gusta tu profesor de ciencias? - Me gusta mi profesor de ciencias porque es simpático y divertido y siempre me ayuda. **¿Por qué no te gusta tu profesor de matemáticas?** - No me gusta mi profesor de matemáticas porque es estricto y nunca está de buen humor.	**¿Por qué te gusta tu profesor de ciencias?** - Me gusta mi profesor de ciencias porque es amable, paciente y siempre me escucha. **¿Por qué no te gusta tu profesora de física?** - No me gusta mi profesora de física porque es aburrida, impaciente y antipática. Además, ella nunca me ayuda cuando no entiendo.	**¿Por qué te gusta tu profesora de francés?** - Me gusta mi profesora de francés porque es muy amable, paciente e interesante. Además, ella siempre está de buen humor y nunca me chilla/grita. **¿Por qué no te gusta tu profesor de arte?** - No me gusta mi profesor de arte porque siempre me regaña y nos da muchos deberes.
4	**5**	**6**
¿Por qué te gusta tu profesor de educación física? - Me gusta mi profesor de educación física porque es divertido y trabajador. Además, siempre nos da pocos deberes. **¿Por qué no te gusta tu profesor de ciencias?** - No me gusta mi profesor de ciencias porque no me entiende y siempre me chilla/grita.	**¿Por qué te gusta tu profesor de historia?** - Me gusta mi profesora de historia porque es simpática y divertida. Además ella siempre me escucha y me entiende. **¿Por qué no te gusta tu profesor de música?** - No me gusta mi profesor de música porque es antipático e impaciente. Es más, siempre se enfada conmigo y nos da muchos deberes.	**¿Por qué te gusta tu profesora de teatro?** - Me gusta mi profesora de teatro porque es divertida y trabajadora. Además nunca me chilla/grita y nos da pocos deberes. **¿Por qué no te gusta tu profesora de inglés?** - No me gusta mi profesora de inglés porque siempre me chilla/grita y nunca me ayuda. Además es aburrida y poco trabajadora.

UNIT 10 – SURVEY

	What is your name?	Do you like your maths teacher? Why?	Do you like your English teacher? Why?	Do you like your science teacher? Why?	Do you like your Spanish teacher? Why?
	¿Cómo te llamas?	¿Te gusta tu profe de matemáticas? ¿Por qué?	¿Te gusta tu profe de inglés? ¿Por qué?	¿Te gusta tu profe de ciencias ¿Por qué?	¿Te gusta tu profe de español? ¿Por qué?
e.g.	Me llamo Mateo.	No, no me gusta mi profe de matemáticas porque nos da muchos deberes.	Sí, me encanta mi profe de inglés porque siempre me ayuda.	Sí, me gusta mucho mi profe de ciencias porque nunca se enfada.	Me encanta mi profe de español porque siempre está de buen humor.
1					
2					
3					
4					
5					
6					
7					

UNIT 10 – ANSWERS

FIND SOMEONE WHO

	Find someone who ...	Name
1.	...has a nice Spanish teacher.	Abel
2.	...has a mean Spanish teacher.	Gabriel
3.	...has a very strict geography teacher.	Valeria
4.	...has a geography teacher who always helps him.	Sergio
5.	...has a funny art teacher.	Iván
6.	...has an intelligent art teacher.	Esteban
7.	...has a patient French teacher.	Verónica
8.	...has a French teacher who is not strict.	Silvia
9.	...has a very kind science teacher.	Aitor
10.	...has a very interesting science teacher.	Andrea
11.	...has an impatient history teacher.	Olivia
12.	...has a history teacher who never tells them off.	Marta
13.	...has a hard-working Spanish teacher.	Alejandra
14.	...has a calm French teacher.	Miriam
15.	...is a red herring! 🐟 (No match)	Mario / Amparo

STAIRCASE TRANSLATION

Me gusta mucho mi profesora de inglés porque es amable, divertida y trabajadora. Además, ella siempre me escucha y me ayuda y nunca me chilla/grita. Sin embargo, no me gusta mi profesora de ciencias porque es muy estricta y siempre me regaña. Además, nos da muchos deberes.

FASTER!

REFEREE SOLUTION:
1. Me gusta mi profe de ciencias porque es graciosa.
2. Me gusta mi profe de matemáticas porque es interesante.
3. Me gusta mi profe de francés porque siempre está de buen humor.
4. Me gusta mi profe de historia poque es muy amable y simpática.
5. No me gusta mi profe de español porque nunca me ayuda.
6. No me gusta mi profe de inglés porque no me comprende.
7. Me encanta mi profe de música porque nunca nos da muchos deberes.
8. No me gusta mi professor de tecnología porque es aburrido y antipático.

THINGS IN COMMON

Students give their own answers to the questions and make a note of which students they have things in common with.

UNIT 11
Saying what I and others do in our free time

¿Qué haces en tu tiempo libre?	What do you do in your free time?
¿Qué hace tu amigo en su tiempo libre?	What does your friend do in their free time?
¿Qué deportes haces?	What sports do you do?
¿Haces otra actividad?	Do you do another activity?
¿Con qué frecuencia haces deporte?	How often do you do sport?

A menudo *Often* **A veces** *Sometimes* **Casi nunca** *Hardly ever* **Cuando hace buen tiempo** *When the weather is good* **Cuando hace mal tiempo** *When the weather is bad* **Raramente** *Rarely* **Todos los días** *Every day* ***Dos veces por semana** *Twice a week*	**(yo) juego** *I play* **mi amigo/a juega** *my friend plays*	**al ajedrez** **al baloncesto** **a las cartas** **a videojuegos** **al fútbol** **al tenis** **con el ordenador** **con mis amigos**	*chess* *basketball* *cards* *videogames* *football* *tennis* *on the computer* *with my friends*
	(yo) hago *I do* **mi amigo/a hace** *my friend does*	**ciclismo** **los deberes** **deporte** **equitación** **escalada** **esquí** **footing** **natación** **pesas** **senderismo**	*cycling* *homework* *sport* *horse riding* *rock climbing* *skiing* *jogging* *swimming* *weights* *hiking*
	(yo) voy *I go* **mi amigo/a va** *my friend goes*	**a casa de mi amigo/a** **a la montaña** **a la piscina** **a la playa** **al gimnasio** **al parque** **al polideportivo** **de marcha** **de pesca** **en bici**	*to my friend's house* *to the mountain* *to the pool* *to the beach* *to the gym* *to the park* *to the sports centre* *clubbing* *fishing* *on a bike ride*

*Author's note: *Most adverbs of frequency (always/never etc) can go either at the start or end of the sentence. E.g.* **Siempre hago deporte / Hago deporte siempre**. *However, some expressions, such as* **dos veces por semana** *(twice a week) work better at the end of the sentence.*

UNIT 11 – FIND SOMEONE WHO – Student Cards

En mi tiempo libre juego a las cartas. **MATEO**	En mi tiempo libre hago equitación. **RAFAEL**	En mi tiempo libre juego al ajedrez. **SOFÍA**	En mi tiempo libre juego a videojuegos. **MARÍA**
En mi tiempo libre juego al fútbol. **SANTIAGO**	En mi tiempo libre juego al tenis. **ANDRÉS**	En mi tiempo libre juego al baloncesto. **VALENTINA**	En mi tiempo libre voy al parque. **PEDRO**
En mi tiempo libre hago ciclismo. **LEONARDO**	En mi tiempo libre hago escalada. **RAQUEL**	En mi tiempo libre hago pesas. **LUCÍA**	En mi tiempo libre voy de pesca. **PACO**
En mi tiempo libre hago footing. **SEBASTIÁN**	En mi tiempo libre voy a casa de mi amigo. **LORENA**	En mi tiempo libre hago natación. **MARTINA**	En mi tiempo libre voy al polideportivo. **SERGIO**

UNIT 11 – FIND SOMEONE WHO – Student Grid

Find someone who...		Name
¿Qué haces en tu tiempo libre?	*What do you do in your free time?*	
1.	...plays cards.	
2.	...goes horse riding.	
3.	...plays chess.	
4.	...plays videogames.	
5.	...plays football.	
6.	...plays tennis.	
7.	...plays basketball.	
8.	...goes to the park.	
9.	...does cycling.	
10.	...does climbing.	
11.	...does weights.	
12.	...goes fishing.	
13.	...goes jogging.	
14.	...goes to a friend's house.	
15.	...is a red herring! 🐟 (No match)	

THE LANGUAGE GYM

UNIT 11 – ORAL PING PONG – Person A

ENGLISH 1	SPANISH 1	ENGLISH 2	SPANISH 2
I play chess often.	Juego al ajedrez a menudo.	I hardly ever play cards.	No juego a las cartas casi nunca.
I play tennis sometimes.		I do horse riding often.	
I go to my friend's house every day.	Voy a casa de mi amigo todos los días.	My friends do swimming every day.	Mis amigos hacen natación todos los días.
I go to the beach when the weather is nice.		My friend does jogging four times a week.	
I play with my friends every day.	Juego con mis amigos todos los días.	I do swimming every day.	Hago natación todos los días.
My friend goes to the mountain rarely.		I play tennis rarely.	
I play basketball often.	Juego al baloncesto a menudo.	My friend goes clubbing often.	Mi amigo va de marcha a menudo.
My friend goes to the swimming pool sometimes.		I hardly ever go fishing.	
I do my homework every day.	Hago los deberes todos los días.	I go to the gym twice a week.	Voy al gimnasio dos veces por semana.
I do rock climbing twice a week.		My friend hardly ever does his homework.	

UNIT 11 – ORAL PING PONG – Person B

ENGLISH 1	SPANISH 1	ENGLISH 2	SPANISH 2
I play chess often.		I hardly ever play cards.	
I play tennis sometimes.	Juego al tenis a veces.	I do horse riding often.	Hago equitación a menudo.
I go to my friend's house every day.		My friends do swimming every day.	
I go to the beach when the weather is nice.	Voy a la playa cuando hace buen tiempo.	My friend does jogging four times a week.	Mi amigo hace footing cuatro veces por semana.
I play with my friends every day.		I do swimming every day.	
My friend goes to the mountain rarely.	Mi amigo va a la montaña raramente.	I play tennis rarely.	Juego al tenis raramente.
I play basketball often.		My friend goes clubbing often.	
My friend goes to the swimming pool sometimes.	A veces mi amigo va a la piscina.	I hardly ever go fishing.	Casi nunca voy de pesca.
I do my homework every day.		I go to the gym twice a week.	
I do rock climbing twice a week.	Hago escalada dos veces por semana.	My friend hardly ever does his homework.	Mi amigo casi nunca hace los deberes.

No Snakes No Ladders

START	1	2	3	4	5	6	7
	What do you do in your free time?	I hardly ever play cards.	I play football every day.	I DO rock climbing twice a week.	How often do you go to your friend's house?	I DO hiking rarely.	I DO swimming twice a week.

15	14	13	12	11	10	9	8
My friend goes clubbing often.	My friend DOES weights every day.	My friend DOES ski sometimes.	How often does your friend play tennis?	My friend does his homework rarely.	My friend hardly ever DOES rock climbing.	My friend hardly ever DOES horse riding.	What does your brother do in his free time?

16	17	18	19	20	21	22	23
My sister goes to the gym every day.	My father goes to the sports centre twice a week.	My mother plays cards three times a week.	My brother plays tennis every day. I play football every day.	My brother plays basketball twice a week.	How often do you play football?	What do you do in your free time? How many times a week?	My friend goes to the beach when the weather is good.

FINISH	30	29	28	27	26	25	24
	In my free time I do sport, I go to the park or to the shopping centre.	What do I do in my free time? I go to the gym, go to my friend's house and swim.	My older brother goes clubbing often.	How often do you do sport?	My sister is very sporty. In her free time she DOES ski and hiking.	I hardly ever do sport. My brother does sport every day.	My friend DOES jogging every day.

No Snakes No Ladders

7 Hago natación dos veces a la semana.	6 Raramente hago senderismo.	5 ¿Con qué frecuencia vas a la casa de tu amigo?	4 Hago escalada dos veces a la semana.	3 Juego al fútbol todos los días.	2 Casi nunca juego a las cartas.	1 ¿Qué haces en tu tiempo libre?
8 ¿Qué hace tu hermano en su tiempo libre?	9 Mi amigo casi nunca hace equitación.	10 Mi hermano casi nunca hace escalada.	11 Mi amigo, raramente hace los deberes.	12 ¿Con qué frecuencia juega tu amigo al tenis?	13 Mi amigo hace esquí a veces.	14 Mi amigo hace pesas todos los días.
23 Mi amigo va a la playa cuando hace buen tiempo.	22 ¿Qué haces en tu tiempo libre? ¿Cuántas veces a la semana?	21 ¿Con qué frecuencia juegas al fútbol?	20 Mi hermano juega al baloncesto dos veces a la semana.	19 Mi hermano juega al tenis todos los días. Juego al fútbol todos los días.	18 Mi madre juega a las cartas tres veces a la semana.	17 Mi padre va al polideportivo dos veces a la semana.
24 Mi amigo hace footing todos los días.	25 Casi nunca hago deporte. Mi hermano hace deporte todos los días.	26 Mi hermana es muy deportista. En su tiempo libre hace esquí y senderismo.	27 ¿Con qué frecuencia haces deporte?	28 Mi hermano mayor va de marcha a menudo.	29 ¿Qué hago en mi tiempo libre? Voy al gimnasio, voy a casa de mi amigo y nado.	30 En mi tiempo libre hago deporte, voy al parque o voy al centro comercial.
						SALIDA
						15 Mi amigo va de marcha a menudo.
						16 Mi hermana va al gimnasio todos los días.
						LLEGADA

THE LANGUAGE GYM

UNIT 11 – STAIRCASE TRANSLATION

My name is Thomas. I am German.

My name is Thomas. I am German. In my free time I do a lot of sport.

My name is Thomas. I am German. In my free time I do a lot of sport. My favourite sport is rock climbing. I do rock climbing every day.

My name is Thomas. I am German. In my free time I do a lot of sport. My favourite sport is rock climbing. I do rock climbing every day. When the weather is bad I play chess or cards.

My name is Thomas. I am German. In my free time I do a lot of sport. My favourite sport is rock climbing. I do rock climbing every day. When the weather is bad I play chess or cards. I also really like to play videogames or Playstation.

* My name is Thomas. I am German. In my free time I do a lot of sport. My favourite sport is rock climbing. I do rock climbing every day. When the weather is bad I play chess or cards. I also really like to play videogames or Playstation. I play PlayStation often with my best friend, Fran. Fran always plays videogames.

* Translate the
last step here:

⏱️ UNIT 11 – FASTER! 🚀

Say:

1. In my free time I often do swimming.
2. I go to the swimming pool three times a week.
3. I also go to the gym twice a week.
4. Sometimes I go to the park.
5. I go cycling rarely but I go jogging often.
6. My brother always plays Playstation.
7. He hardly ever does sport.
8. My sister does sport often.
9. She plays basketball and tennis.
10. She also goes rock climbing.

	Time	Mistakes	Referee's name
1			
2			
3			
4			

UNIT 11 – FLUENCY CARDS

At the weekend		
On Sunday		
On Friday		
Next weekend		
Tomorrow		
On Sunday		
On Saturday		
At the weekend		

	Time	Mistakes
1		
2		
3		
4		

UNIT 11 – COMMUNICATIVE DRILLS

1	2	3
What do you do in your free time? - I play basketball every day. I also play video games with my friends every day. From time to time I go to the swimming pool with my sister. Sometimes I go to my best friend's house.	**What do you do in your free time?** - I play chess with my brother every day. I also do a lot of sport: I play football every day with my friends and I go jogging in the park three times a week. Sometimes I do weights with my brother.	**What do you do in your free time?** - I play on my computer every day. I also like to ride bike ride with my friends. From time to time I play cards. I also go to the shopping mall with my friends every day after school.
4	**5**	**6**
Do you like to play chess? - Yes, I play chess every day. It is fun. **Do you like to do sport?** - No. I don't like to do sport. It's fun but very tiring. **Do you like to go fishing?** - Yes, I love it. It is a lot of fun.	**Do you like to play videogames?** - Yes, I play videogames often. It is exciting. **Do you like to go cycling?** - No, I don't like to do sport. It's tiring and boring. **Do you go to the shopping mall often?** - No, I rarely go to the shopping mall. It's boring.	**Do you like to go swimming?** - No, I hardly ever go swimming. **Do you like to play basketball?** - No, I don't like to play basketball. It's very boring and a bit tiring also. **Do you go the gym?** - No, I hardly ever go to the gym. **What do you like to do in your free time?** - I like to go to the park with my friends.
7	**8**	**9**
Do you like to play Playstation? - Yes, I play Playstation often. It is exciting and fun. **Do you go to the sports centre?** - No, I hardly ever go to the sports centre or to the gym. It is tiring. **What do you like to do in your free time?** - I like to cycle in the park with my friend.	**Do you like to go jogging?** - No. I hardly ever go jogging. **Do you like to play football?** - No. I don't like to play football. It's tiring and boring. **Do you go the swimming pool?** - No, I hardly ever go to the swimming pool. **What do you like to do in your free time?** - I like to go to my friend's house and play videogames with him.	**Do you like to play football?** - Yes, I play football every day. It is fun. **Do you like to do skiing?** - No. I don't like to do skiing. It's very boring. I hardly every do skiing. **Do you like to go fishing?** - Yes, I love it. It is a lot of fun too. I do it twice a week.

UNIT 11 - COMMUNICATIVE DRILLS
REFEREE CARD

1	2	3
¿Qué haces en tu tiempo libre? - Juego al baloncesto todos los días. También juego a videojuegos con mis amigos todos los días. De vez en cuando voy a la piscina con mi hermana. A veces voy a casa de mi mejor amigo.	¿Qué haces en tu tiempo libre? - Juego al ajedrez con mi hermano todos los días. También hago mucho deporte: juego al fútbol todos los días con mis amigos y hago footing en el parque tres veces por semana. A veces hago pesas con mi hermano.	¿Qué haces en tu tiempo libre? - Juego con el ordenador todos los días. También me gusta hacer ciclismo con mis amigos. De vez en cuando juego a las cartas. También voy al centro comercial con mis amigos todos los días después del colegio.
4	**5**	**6**
¿Te gusta jugar al ajedrez? - Sí, juego al ajedrez todos los días. Es divertido. **¿Te gusta hacer deporte?** - No. No me gusta hacer deporte. Es divertido pero muy agotador. **¿Te gusta ir de pesca?** - Sí, me encanta. Es muy divertido.	**¿Te gusta jugar a videojuegos?** - Sí, juego a videojuegos a menudo. Es emocionante. **¿Te gusta hacer ciclismo?** - No, no me gusta hacer deporte. Es agotador y aburrido. **¿Vas a menudo al centro comercial?** - No, raramente voy al centro comercial. Es aburrido.	**¿Te gusta hacer natación?** - No, casi nunca hago natación. **¿Te gusta jugar al baloncesto?** - No, no me gusta jugar al baloncesto. Es muy aburrido y un poco agotador también. **¿Vas al gimnasio?** - No, casi nunca voy al gimnasio. **¿Qué te gusta hacer en tu tiempo libre?** - Me gusta ir al parque con mis amigos.
7	**8**	**9**
¿Te gusta jugar a la Play? - Sí, juego a la Play a menudo. Es emocionante y divertido. **¿Vas al polideportivo?** - No, casi no voy al polideportivo ni al gimnasio. Es agotador. **¿Qué te gusta hacer en tu tiempo libre?** - Me gusta hacer ciclismo en el parque con mi amigo.	**¿Te gusta hacer footing?** - No, casi nunca hago footing. **¿Te gusta jugar al fútbol?** - No, no me gusta jugar al fútbol. Es agotador y aburrido. **¿Vas a la piscina?** - No, casi nunca voy a la piscina. **¿Qué te gusta hacer en tu tiempo libre?** - Me gusta ir a casa de mi amigo y jugar a videojuegos con él.	**¿Te gusta jugar al fútbol?** - Sí, juego al fútbol todos los días. Es divertido. **¿Te gusta hacer esquí?** - No. No me gusta hacer esquí. Es muy aburrido. Casi nunca hago esquí. **¿Te gusta ir a pescar?** - Sí, me encanta. También es muy divertido. Lo hago dos veces por semana.

THE LANGUAGE GYM

UNIT 11 – SURVEY

	What is your name?	What do you do in your free time? Why do you like it?	How often do you play videogames?	How often do you do sport?	How often do you go to the shopping mall?
	¿Cómo te llamas?	¿Qué haces en tu tiempo libre? ¿Por qué te gusta?	¿Con qué frecuencia juegas a videojuegos?	¿Con qué frecuencia haces deporte?	¿Con qué frecuencia vas al centro comercial?
e.g.	Me llamo Gonzalo.	En mi tiempo libre hago equitación. Me gusta porque es relajante.	Juego a videojuegos casi todos los días.	Hago deporte cinco veces a la semana.	Raramente voy al centro comercial.
1					
2					
3					
4					
5					
6					
7					

THE LANGUAGE GYM

UNIT 11 – ANSWERS

FIND SOMEONE WHO

Find someone who...		Name
1.	...plays cards.	Mateo
2.	...goes horse riding.	Rafael
3.	...plays chess.	Sofía
4.	...plays videogames.	María
5.	...plays football.	Santiago
6.	...plays tennis.	Andrés
7.	...plays basketball.	Valentina
8.	...goes to the park.	Pedro
9.	...does cycling.	Leonardo
10.	...does climbing.	Raquel
11.	...does weights.	Lucía
12.	...goes fishing.	Paco
13.	...goes jogging.	Sebastián
14.	...goes to a friend's house.	Lorena
15.	...is a red herring! 🐟 (No match)	Martina / Sergio

STAIRCASE TRANSLATION

Me llamo Thomas. Soy alemán. En mi tiempo libre hago mucho deporte. Mi deporte favorito es la escalada. Hago escalada todos los días. Cuando hace mal tiempo juego al ajedrez o a las cartas. También me gusta mucho jugar a videojuegos o a la Play. Juego a la Play a menudo con mi mejor amigo, Fran. Fran siempre juega a videojuegos.

FASTER! REFEREE SOLUTION:

1. En mi tiempo a menudo hago natación.
2. Voy a la piscina tres veces por semana.
3. También voy al gimnasio dos veces por semana.
4. A veces voy al parque.
5. Raramente monto en bici, pero hago footing a menudo.
6. Mi hermano siempre juega a la Play.
7. (Él) Casi nunca hace deporte.
8. Mi hermana hace deporte a menudo.
9. (Ella) Juega al baloncesto y al tenis.
10. (Ella) También hace escalada.

FLUENCY CARDS

El fin de semana voy al cine para ver una película de horror.
El domingo voy a la piscina para hacer natación.
El viernes voy a la playa para tomar el sol.
El fin de semana que viene voy de tiendas / de compras para comprar ropa.
Mañana voy al parque para montar en bici.
El domingo voy al gimnasio para hacer pesas.
El sábado voy al estadio para ver un partido (de fútbol).
El fin de semana voy de marcha para bailar.

THE LANGUAGE GYM

UNIT 12
Talking about my daily routine

Háblame de tu rutina diaria	Talk to me about your daily routine
¿A qué hora te levantas?	What time do you get up?
¿Cómo vas al colegio?	How do you go to school?
¿Qué haces después del colegio?	What do you do after school?

Almuerzo *I have lunch*		***la una**	*1*	
Ceno *I have dinner*		**las dos**	*2*	
Desayuno *I have breakfast*		**las tres**	*3*	
Descanso *I rest*		**las cuatro**	*4*	
Hago mis deberes *I do my homework*		**las cinco**	*5*	
Juego en el ordenador *I play on the computer*		**las seis**	*6*	
	a *at*	**las siete**	*7*	
Me acuesto *I go to bed*		**las ocho**	*8*	**de la mañana** *in the morning*
		las ocho y cinco	*8.05*	
Me lavo los dientes *I brush my teeth*		**las ocho y diez**	*8.10*	
		las ocho y cuarto	*8.15*	**de la tarde** *in the evening*
Me levanto *I get up*		**las ocho y veinte**	*8.20*	
		las ocho y veinticinco	*8.25*	
Me visto *I get dressed*	**a eso de** *at around*	**las ocho y media**	*8.30*	
		las ocho y treinta y cinco	*8.35*	**de la noche** *at night*
Salgo de casa *I leave my house*		**las nueve menos veinte**	*8.40*	
Veo la tele *I watch television*		**las nueve menos cuarto**	*8.45*	
		las nueve menos diez	*8.50*	
Vuelvo a casa *I go back home*		**las nueve menos cinco**	*8.55*	
		las nueve	*9*	

Voy al colegio *I go to school*	**a pie** *on foot* **en autobús** *by bus* **en coche** *by car*	**las diez**	*11*
		las doce	*12*

luego... *then* **después...** *after* **finalmente...** *finally*	**mediodía** *midday* **medianoche** *midnight*

__Author's note:__ "A la una" is the only time which has "la". Watch out for it!

UNIT 12 – FIND SOMEONE WHO – Student Cards

Desayuno a las seis. Almuerzo a la una. Ceno a las ocho. **DIEGO**	Desayuno a las siete. Almuerzo a mediodía. Ceno a las ocho y media. **GUILLERMO**	Desayuno a las ocho. Almuerzo a las dos. Ceno a las siete. **GABRIELA**	Desayuno a las seis y diez. Almuerzo a la una. Ceno a las ocho. **SERGIO**
No desayuno. Almuerzo a las doce y treinta y cinco. Ceno a las seis y media. **CARLOS**	Desayuno a las seis y cuarto. Almuerzo a las doce y media. Ceno a las ocho y veinticinco. **FELIPE**	Desayuno a las ocho menos cuarto. Almuerzo a la una y media. Ceno a las ocho y media. **VICTORIA**	Desayuno a las siete menos diez. No almuerzo. Ceno a las ocho y cinco. **AMPARO**
Desayuno a las cinco y media. Almuerzo a las doce y veinte. Ceno a las siete y media. **PALOMA**	Desayuno a las siete menos cinco. Almuerzo a mediodía. No ceno. **JULIA**	Desayuno a las siete menos diez. Almuerzo a las doce y cinco. Ceno a las nueve menos cuarto. **MIGUEL**	Desayuno a las ocho y media. Almuerzo a la una menos cinco. Ceno a las nueve y diez. **PABLO**
Desayuno a las seis y media. Almuerzo a las doce y media. Ceno a las ocho y diez. **JOSÉ**	No desayuno. Almuerzo a la una menos cuarto. Ceno a las ocho. **AURORA**	Desayuno a las siete. Almuerzo a la una y cuarto. Ceno a las ocho y cinco. **CATALINA**	Desayuno a las seis. Almuerzo a la una y veinticinco. Ceno a las ocho. **JULIÁN**

UNIT 12 – FIND SOMEONE WHO – Student Grid

Find someone who...		Name
1.	...has breakfast at 6:00.	
2.	...has lunch at 12:00.	
3.	...has dinner at 7:00.	
4.	...has lunch at 1:00.	
5.	...doesn't have breakfast.	
6.	...has lunch at 12:30.	
7.	...has dinner at 8:30.	
8.	...doesn't have lunch.	
9.	...has breakfast at 5:30.	
10.	...doesn't have dinner.	
11.	...has breakfast at 6:50.	
12.	...has dinner at 9:10.	
13.	...is a red herring! (No match)	

UNIT 12 – ORAL PING PONG – Person A

ENGLISH 1	SPANISH 1	ENGLISH 2	SPANISH 2
I get up at 6:00.	Me levanto a las seis.	I rest.	Descanso.
I shower at 6:15.		I do my homework.	
I get dressed at 6:30.	Me visto a las seis y media.	I go to the sports centre.	Voy al polideportivo.
I have breakfast at 7:45.		I play football.	
I brush my teeth at 7:00.	Me lavo los dientes a las siete.	I play videogames.	Juego a videojuegos.
I leave my house at 7:15.		I play chess.	
I go to school by bus at 7:00.	Voy al colegio en autobús a las siete.	I go on a bike ride.	Voy en bici.
I have lunch at 12:30.		I watch television.	
I go back home by bus at 3:00.	Vuelvo a casa en autobús a las tres.	I have dinner at eight.	Ceno a las ocho.
I do my homework.		I go to bed at 11:00.	

UNIT 12 – ORAL PING PONG – Person B

ENGLISH 1	SPANISH 1	ENGLISH 2	SPANISH 2
I get up at 6:00.		I rest.	
I shower at 6:15.	Me ducho a las seis y cuarto.	I do my homework.	Hago los deberes.
I get dressed at 6:30.		I go to the sports centre.	
I have breakfast at 7:45.	Desayuno a las ocho menos cuarto.	I play football.	Juego al fútbol.
I brush my teeth at 7:00.		I play videogames.	
I leave my house at 7:15.	Salgo de casa a las siete y cuarto.	I play chess.	Juego al ajedrez.
I go to school by bus at 7:00.		I go on a bike ride.	
I have lunch at 12:30.	Almuerzo a las doce y media.	I watch television.	Veo la tele.
I go back home by bus at 3:00.		I have dinner at eight.	
I do my homework.	Hago los deberes.	I go to bed at 11:00.	Me acuesto a las once.

No Snakes No Ladders

START 	**1** What do you do on a typical day?	**2** Tell me about your daily routine.	**3** What do you do in the morning?	**4** I get up at seven.	**5** I shower.	**6** I get dressed.	**7** My brother is called Paco.
15 I leave school at 3:00.	**14** I have lunch at 1:00.	**13** At what time do you have lunch?	**12** I go to school at 8:15.	**11** At what time do you go to school?	**10** I leave my house at 8:00.	**9** I have breakfast at 7:45.	**8** I brush my teeth.
16 I go back home at 4:00.	**17** I come back home, I eat something, then I do my homework.	**18** I come back home, I eat something, then I rest a bit.	**19** I shower, then I have breakfast, then I brush my teeth and go out.	**20** I get up, then I shower and have breakfast.	**21** I get up at 7:30.	**22** I go to school by bus.	**23** Tell me about a typical day.
FINISH	**30** I have dinner at 7:30. Then I do my homework. Then I go to bed at 12:00.	**29** I have dinner, I brush my teeth, then I shower and go to bed.	**28** I have dinner, then watch television or play videogames.	**27** I have breakfast at 7:45, I have lunch at 12:00 and I have dinner at 8:00.	**26** What do you do on a typical day?	**25** I go to school by bus at around 8:30.	**24** I brush my teeth, then I leave the house at around 8:15.

No Snakes No Ladders

7 Mi hermano se llama Paco.	6 Me visto.	5 Me ducho.	4 Me levanto a las siete.	3 ¿Qué haces por la mañana?	2 Háblame de tu rutina diaria.	1 ¿Qué haces en un día típico? SALIDA
8 Me lavo los dientes.	9 Desayuno a las ocho menos cuarto.	10 Salgo de casa a las ocho.	11 ¿A qué hora vas al colegio?	12 Voy al colegio a las ocho y cuarto.	13 ¿A qué hora almuerzas?	14 Almuerzo a la una.
23 Háblame de un día típico.	22 Voy al colegio en autobús.	21 Me levanto a las siete y media.	20 Me levanto, luego me ducho y desayuno.	19 Me ducho, luego desayuno, luego me lavo los dientes y salgo.	18 Vuelvo a casa, como algo, luego descanso un poco.	17 Vuelvo a casa, como algo, luego hago mis deberes.
24 Me lavo los dientes, luego salgo de casa a eso de las ocho y cuarto.	25 Voy al colegio en autobús a eso de las ocho y media.	26 ¿Qué haces en un día típico?	27 Desayuno a las ocho menos cuarto, almuerzo a las doce y ceno a las ocho.	28 Ceno, luego veo la televisión o juego a videojuegos.	29 Ceno, me lavo los dientes, luego me ducho y me acuesto.	30 Ceno a las siete y media. Luego hago mis deberes. Luego me acuesto a las doce.
					15 Salgo del colegio a las tres.	16 Vuelvo a casa a las cuatro.
						LLEGADA

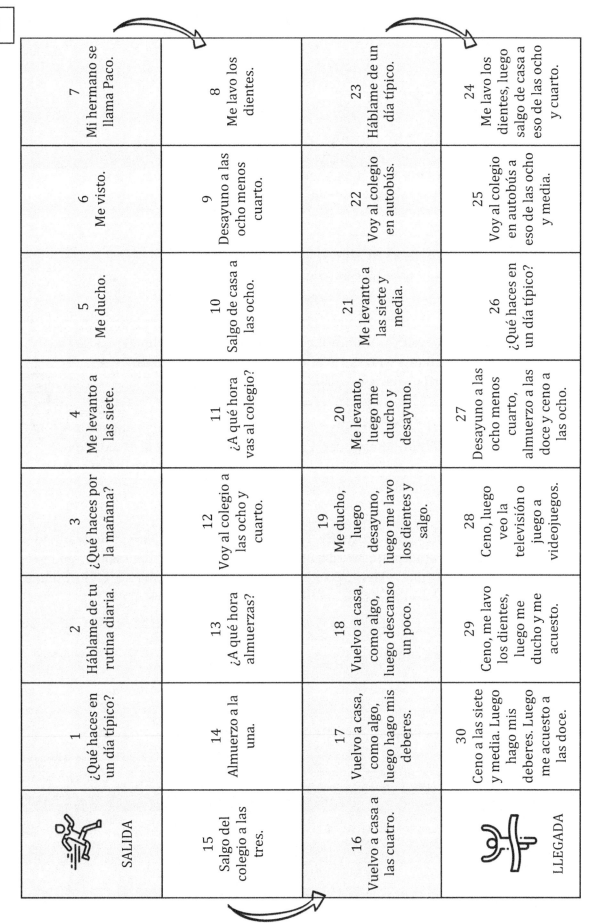

UNIT 12 – STAIRCASE TRANSLATION

My name is Consuelo. I am 11. Usually, I get up at around 6:15.

My name is Consuelo. I am 11. Usually, I get up at around 6:15. Then I shower and have breakfast with my brother.

My name is Consuelo. I am 11. Usually, I get up at around 6:15. Then I shower and have breakfast with my brother. Afterwards, I brush my teeth and get dressed.

My name is Consuelo. I am 11. Usually, I get up at around 6:15. Then I shower and have breakfast with my brother. Afterwards, I brush my teeth and get dressed. Then I prepare my schoolbag.

My name is Consuelo. I am 11. Usually, I get up around 6:15. Then I shower and have breakfast with my brother. Afterwards, I brush my teeth and get dressed. Then I prepare my schoolbag. At around 7:30 I leave my house and go to school by bus. I arrive at school at around 8:00.

* My name is Consuelo. I am 11. Usually, I get up at around 6:15. Then I shower and have breakfast with my brother. Afterwards, I brush my teeth and get dressed. Then I prepare my schoolbag. At around 7:30 I leave my house and go to school by bus. I arrive at school at around 8:00. I return home at 4:00 and then *(entonces)* I do my homework.

* Translate the last step here:

⏱️ UNIT 12 – FASTER! 🦋

Say:

1. I get up at 6:15.
2. I shower at 6:25.
3. I have breakfast at 6:30.
4. Then, I brush my teeth.
5. I get dressed around 6:40.
6. I prepare my school bag.
7. I leave my house at 6:50.
8. I go to school by bus.
9. I arrive at school at 7:30.
10. I have lunch at 12:40.

	Time	Mistakes	Referee's name
1			
2			
3			
4			

UNIT 12 – FAST & FURIOUS

1. Me levanto a las _____   (6:30 am)

2. Desayuno a eso de las _____   (6:45 am)

3. Me lavo los dientes a eso de las ____ (7:00 am)

4. Salgo de casa a las _____   (7:15 am)

5. Llego al colegio a las _____   (7:45 am)

6. Vuelvo a casa a las _____   (3:50 pm)

7. Hago mis deberes a las _____   (4:00 pm)

8. Ceno a las _____   (8:15 pm)

9. Veo la tele hasta las _____   (10:30 pm)

10. Me acuesto a las _____   (11:45 pm)

	Time 1	Time 2	Time 3	Time 4
Time				
Mistakes				

UNIT 12 – COMMUNICATIVE DRILLS

1	2	3
At what time do you get up? - I get up at 6:30. **What do you do after that?** - I have breakfast, I brush my teeth, get dressed, watch a bit of television, then I leave the house.	**At what time do you have dinner?** - I have dinner at around 7:30 in the evening. **What do you do after that?** - I watch television, then I brush my teeth, shower and go to bed.	**At what time do you eat?** - Normally I have breakfast early, at around 6 o'clock in the morning. I have lunch at school, at around 12:00 and have dinner at around 7:30 in the evening.

4	5	6
At what time do you leave your house? - Normally, I leave my house at 7:45. **At what time do you get back home?** - I get back home at around 4:00. **At what time do you go to bed?** - I go to bed at around 10:45.	**At what time do you get up?** - I get up at 7:15 **What do you do after that?** - I have breakfast, I brush my teeth, get dressed, watch a bit of television, then I leave the house. **At what time do you get back home?** - At around 4:30.	**At what time do you have dinner?** - I have dinner at around 7:45 in the evening. **What do you do after that?** - I watch television, then I brush my teeth, shower and go to bed. **At what time do you get up?** - At around 6:00.

7	8	9
At what time do you get up? - I usually get up at around 6:30. **At what time do you eat?** - Normally I have breakfast at around seven o'clock in the morning. I have lunch at school, at around 12:30 and have dinner at around 8:00 in the evening.	**At what time do you leave your house?** - Normally, I leave my house at 7:45. **At what time do you get back home?** - At around 4:00. **What time do you go to bed?** - I go to bed at around 10:45.	**At what time do you get up?** - I usually get up at around 7:30. **At what time do you have dinner?** - I have dinner at around 7:00 in the evening. **What do you do after that?** - I watch television, then I brush my teeth, shower and go to bed.

UNIT 12 - COMMUNICATIVE DRILLS
REFEREE CARD

1	2	3
¿A qué hora te levantas? - Me levanto a las seis y media. **¿Qué haces después de eso?** - Desayuno, me lavo los dientes, me visto, veo un poco de televisión y luego salgo de casa.	**¿A qué hora cenas?** - Ceno a eso de las siete y media de la tarde. **¿Qué haces después de eso?** - Veo la televisión, luego me lavo los dientes, me ducho y me acuesto.	**¿A qué hora comes?** - Normalmente desayuno temprano, a eso de las seis de la mañana. Almuerzo en el colegio a eso de las doce y ceno a eso de las siete y media de la tarde.
4	**5**	**6**
¿A qué hora sales de casa? - Normalmente salgo de casa a las ocho menos cuarto. **¿A qué hora vuelves a casa?** - Vuelvo a casa a eso de las cuatro. **¿A qué hora te acuestas?** - Me acuesto a eso de las once menos cuarto.	**¿A qué hora te levantas?** - Me levanto a las siete y cuarto. **¿Qué haces después de eso?** - Desayuno, me lavo los dientes, me visto, veo un poco de televisión y luego salgo de casa. **¿A qué hora vuelves a casa?** - A eso de las cuatro y media.	**¿A qué hora cenas?** - Ceno a eso de las ocho menos cuarto de la tarde. **¿Qué haces después de eso?** - Veo la televisión, luego me lavo los dientes, me ducho y me acuesto. **¿A qué hora te levantas?** - A eso de las seis.
7	**8**	**9**
¿A qué hora te levantas? - Normalmente me levanto a eso de las seis y media. **¿A qué hora comes?** - Normalmente desayuno a eso de las siete de la mañana. Almuerzo en el colegio, a eso de las doce y media y ceno a eso de las ocho de la tarde.	**¿A qué hora sales de tu casa?** - Normalmente salgo de casa a las ocho menos cuarto. **¿A qué hora vuelves a casa?** - A eso de las cuatro. **¿A qué hora te acuestas?** - Me acuesto a eso de las once menos cuarto.	**¿A qué hora te levantas?** - Normalmente me levanto a eso de las siete y media. **¿A qué hora cenas?** - Ceno a eso de las siete de la tarde. **¿Qué haces después de eso?** - Veo la televisión, luego me lavo los dientes, me ducho y me acuesto.

UNIT 12 – SURVEY

	What is your name?	At what time do you get up and go to bed?	At what time do you have breakfast, lunch and dinner?	How do you go to school?	What do you do after dinner?
	¿Cómo te llamas?	¿A qué hora te levantas y te acuestas?	¿A qué hora desayunas, almuerzas y cenas?	¿Cómo vas al colegio?	¿Qué haces después de cenar?
e.g.	*Me llamo Fernanda.*	*Me levanto a las seis y me acuesto a medianoche.*	*Desayuno a la una, almuerzo a las doce y ceno a las ocho.*	*Voy al colegio en autobús.*	*Después de cenar veo la tele con mi familia.*
1					
2					
3					
4					
5					
6					
7					

UNIT 12 – ANSWERS

FIND SOMEONE WHO

Find someone who...		Name
1.	...has breakfast at 6:00.	Diego / Julián
2.	...has lunch at 12:00.	Guillermo / Julia
3.	...has dinner at 7:00.	Gabriela
4.	...has lunch at 1:00.	Sergio / Diego
5.	...doesn't have breakfast.	Carlos / Aurora
6.	...has lunch at 12:30.	Felipe / José
7.	...has dinner at 8:30.	Guillermo / Victoria
8.	...doesn't have lunch.	Amparo
9.	...has breakfast at 5:30.	Paloma
10.	...doesn't have dinner.	Julia
11.	...has breakfast at 6:50.	Miguel / Amparo
12.	...has dinner at 9:10.	Pablo
13.	...is a red herring! 🐟 (No match)	Catalina

STAIRCASE TRANSLATION

Me llamo Consuelo. Tengo once años. Normalmente me levanto a eso de las seis y cuarto. Luego me ducho y desayuno con mi hermano. Después me lavo los dientes y me visto. Luego preparo mi mochila. A eso de las siete y media salgo de mi casa y voy a la escuela en autobús. Llego al colegio a eso de las ocho. Vuelvo a casa a las cuatro y entonces hago los deberes.

FASTER! REFEREE SOLUTION:

1. Me levanto a las seis y cuarto.
2. Me ducho a las seis y veinticinco.
3. Desayuno a las seis y media.
4. Luego me lavo los dientes.
5. Me visto a eso de las siete menos veinte.
6. Preparo mi mochila.
7. Salgo de casa a las siete menos diez.
8. Voy a la escuela en autobús.
9. Llego a la escuela a las siete y media.
10. Almuerzo a la una menos veinte.

FAST & FURIOUS

1. Me levanto a las **seis y media**
2. Desayuno a eso de las **siete menos cuarto**
3. Me lavo los dientes a eso de las **siete**
4. Salgo de casa a las **siete y cuarto**
5. Llego al colegio a las **ocho menos cuarto**
6. Vuelvo a casa a las **cuatro menos diez**
7. Hago mis deberes a las **cuatro**
8. Ceno a las **ocho y cuarto**
9. Veo la tele hasta las **diez y media**
10. Me acuesto a las **doce menos cuarto**

UNIT 13
Saying where I and others are going to go at the weekend and what we are going to do

INSTRUCTIONS FOR ALL GAMES ARE ON PAGES 1-2

¿Qué planes tienes para el fin de semana que viene?	*What plans do you have for next weekend?*
¿Adónde te gustaría ir?	*Where would you like to go?*
¿Qué planes tiene tu hermano/a?	*What plans does your brother/sister have?*
¿Adónde va a ir tu hermano/a?	*Where is your brother/sister going to go?*

El fin de semana que viene *Next weekend* El viernes *On Friday* El sábado *On Saturday*	**voy a ir** *I am going to go* **me gustaría ir** *I would like to go* **mi amigo/a va a ir** *my friend is going to go* **mi hermano va a ir** *my brother is going to go* **mi hermana va a ir** *my sister is going to go*	**al**	**centro comercial** *shopping mall* **cine** *cinema* **estadio** *stadium* **gimnasio** *gym* **parque** *park* **polideportivo** *sports centre*
		a la	**piscina** *pool* **playa** *beach*
		de	**marcha** *clubbing* **paseo** *for a walk* **pesca** *fishing* **tiendas/ compras** *shopping*

...con *...with*	**mi** *my* **su** *his/her*	**mejor amiga** *best friend (f)* **mejor amigo** *best friend (m)* **hermana** *sister* **hermano** *brother* **novia** *girlfriend* **novio** *boyfriend*	**para** *(in order) to*	**bailar** *dance* **comprar cosas** *buy things* **comprar ropa** *buy clothes* **hacer pesas** *do weights* **jugar al fútbol** *play football* **montar en bici** *ride a bike* **nadar** *swim* **tomar el sol** *sunbathe* **ver una película** *watch a film* **ver un partido** *watch a match*

Será aburrido *It will be boring*	**Será agotador** *It will be tiring*	**Será divertido** *It will be fun*	**Será relajante** *It will be relaxing*

UNIT 13 – FIND SOMEONE WHO – Student Cards

El fin de semana que viene voy a ir al centro comercial con mis amigos. **RAMÓN**	El fin de semana que viene voy a ir al cine con mi novia. **JAIME**	El fin de semana que viene voy a ir a la piscina con mis amigas. **TERESA**	El fin de semana que viene voy a ir al gimnasio con mis amigos. **ANA**
El fin de semana que viene voy a ir de paseo con mi novia. **EDUARDO**	El fin de semana que viene voy a ir de paseo con mi novio. **AMPARO**	El fin de semana que viene voy a ir al gimnasio con mi hermano. **JUANA**	El fin de semana que viene voy a ir al polideportivo con mis amigos. **PEDRO**
El fin de semana que viene voy a ir al centro comercial con mis amigas. **MARÍA**	El fin de semana que viene voy a ir al cine con mi novio. **RENATA**	El fin de semana que viene voy a ir de pesca con mis amigas. **ISABEL**	El fin de semana que viene voy a ir al estadio con mis amigos. **VÍCTOR**
El fin de semana que viene voy a ir de marcha con mis amigas. **JOAQUÍN**	El fin de semana que viene voy a ir al parque con mis amigos. **CLARA**	El fin de semana que viene voy a ir de tiendas con mi novio. **BELÉN**	El fin de semana que viene voy a ir de tiendas con mi hermana. **SUSANA**

UNIT 13 – FIND SOMEONE WHO – Student Grid

Find someone who...		Name
¿Qué planes tienes para el fin de semana que viene? *What plans do you have for next weekend?*		
1.	...is going to go to the shopping mall with his friends.	
2.	...is going to go to the cinema with his girlfriend.	
3.	...is going to go to the swimming pool with her female friends.	
4.	...is going to go to the gym with her friends.	
5.	...is going to go for a walk with his girlfriend.	
6.	...is going to go for a walk with her boyfriend.	
7.	...is going to go to the gym with her brother.	
8.	...is going to go to the sports centre with his friends.	
9.	...is going to go to the shopping mall with her friends.	
10.	...is going to go to the cinema with her boyfriend.	
11.	...is going to go fishing with her female friends.	
12.	...is going to go to the stadium with his friends.	
13.	...is going to go clubbing with his female friends.	
14.	...is going to go to the park with her friends.	
15.	...is a red herring! 🐟 (No match)	

UNIT 13 – ORAL PING PONG – Person A

ENGLISH 1	SPANISH 1	ENGLISH 2	SPANISH 2
Next weekend I am going to go to the cinema.	El fin de semana que viene voy a ir al cine.	**On Friday I am going to go to the gym to do weights.**	El viernes voy a ir al gimnasio para hacer pesas.
On Friday I am going to go fishing.		**On Saturday I am going to go to the sports centre to swim.**	
On Saturday I am going to go shopping.	El sábado voy a ir de tiendas.	**Next weekend I am going to go to the beach to sunbathe.**	El fin de semana que viene voy a ir a la playa para tomar el sol.
What are you going to do next weekend?		**On Friday I am going to go to the park to ride the bike.**	
Next weekend I am going to go to the stadium with my friends.	El fin de semana que viene voy a ir al estadio con mis amigos.	**On Saturday I am going to the stadium to watch a match.**	El sábado voy a ir al estadio para ver un partido.
On Friday I am going to go to the swimming pool with my sister.		**Next weekend I am going to the shopping centre to buy things.**	
On Saturday I am going to go for a walk with my brother.	El sábado voy a ir de paseo con mi hermano.	**Next weekend I am going shopping to buy clothes.**	El fin de semana que viene voy a comprar ropa.
On Saturday I am going to go to the gym with my friends.		**On Saturday I am going to the swimming pool. It will be fun.**	
On Friday I am going to go to the beach with my best friend (m).	El viernes voy a ir a la playa con mi mejor amigo.	**On Friday I am going shopping with my mother. It will be boring.**	El viernes voy a ir de tiendas con mi madre. Será aburrido.
Next weekend I am going to go fishing with my best (female) friend.		**On Saturday I am going to go to the gym with my brother to do weights. It will be tiring.**	

UNIT 13 – ORAL PING PONG – Person B

ENGLISH 1	SPANISH 1	ENGLISH 2	SPANISH 2
Next weekend I am going to go to the cinema.		On Friday I am going to go to the gym to do weights.	
On Friday I am going to go fishing.	El viernes voy a ir de pesca.	On Saturday I am going to go to the sports centre to swim.	El sábado voy a ir al polideportivo para nadar.
On Saturday I am going to go shopping.		Next weekend I am going to go to the beach to sunbathe.	
What are you going to do next weekend?	¿Qué vas a hacer el fin de semana que viene?	On Friday I am going to go to the park to ride the bike.	El viernes voy a ir al parque para montar en bici.
Next weekend I am going to go to the stadium with my friends.		On Saturday I am going to the stadium to watch a match.	
On Friday I am going to go to the swimming pool with my sister.	El viernes voy a ir a la piscina con mi hermana.	Next weekend I am going to the shopping centre to buy things.	El fin de semana que viene voy ir al centro comercial para comprar cosas.
On Saturday I am going to go for a walk with my brother		What are you going to do next weekend?	
On Saturday I am going to go to the gym with my friends.	El sábado voy a ir al gimnasio con mis amigos.	On Saturday I am going to the swimming pool. It will be fun.	El sábado voy a ir a la piscina. Será divertido.
On Friday I am going to go to the beach with my best friend .		On Friday I am going shopping with my mother. It will be boring.	
Next weekend I am going to go fishing with my best (female) friend.	El fin de semana que viene voy a ir de pesca con mi mejor amiga.	On Saturday I am going to go to the gym with my brother to do weights. It will be tiring.	El sábado voy a ir al gimnasio con mi hermano para hacer pesas. Será agotador.

No Snakes No Ladders

7 Next weekend I am going to go to the beach to sunbathe.	**8** On Saturday I am going to go shopping with my sister.	**23** Next weekend I am going to go to the cinema to watch a movie.	**24** I am going to play football. It will be tiring but fun.			

| **6** Next Saturday I am going to go to the gym. | **9** On Friday I am going to go to the shopping centre with my mother. | **22** On Saturday I am going to go to the stadium to watch a match. | **25** I am going to ride my bike in the park. It will be fun. |

| **5** Where are you going to go on Friday? | **10** On Friday I am going to go to the park with my best friend (M). | **21** What are you going to do on Friday? | **26** I am going to go for walk with my brother. It will be relaxing. |

| **4** What are you going to do next weekend? | **11** Next weekend I am going to go to the stadium. | **20** On Friday my older brother is going to go clubbing. | **27** Where are you going to go on Friday? |

| **3** On Saturday I am going to go to the swimming pool. | **12** What are you going to do next weekend? | **19** Next weekend I am going to go to the town centre to dance. | **28** I am going to go swimming with my friends. It will be fun. |

| **2** On Friday I am going to go shopping. | **13** On Saturday I am going to go clubbing. | **18** On Saturday my brother is going to go for a walk with my sister. | **29** I am going to go to the sports centre to do weights. It will be tiring. |

| **1** Next week I am going to go fishing. | **14** On Friday my friend (M) is going to go shopping. | **17** On Friday my best friend (M) is going to go to the shopping centre to buy clothes. | **30** I am going to go fishing with my father. It will be boring. |

| **START** | **15** Where are you going to go on Friday? | **16** On Friday my brother is going to go to the sports centre to swim. | **FINISH** |

No Snakes No Ladders

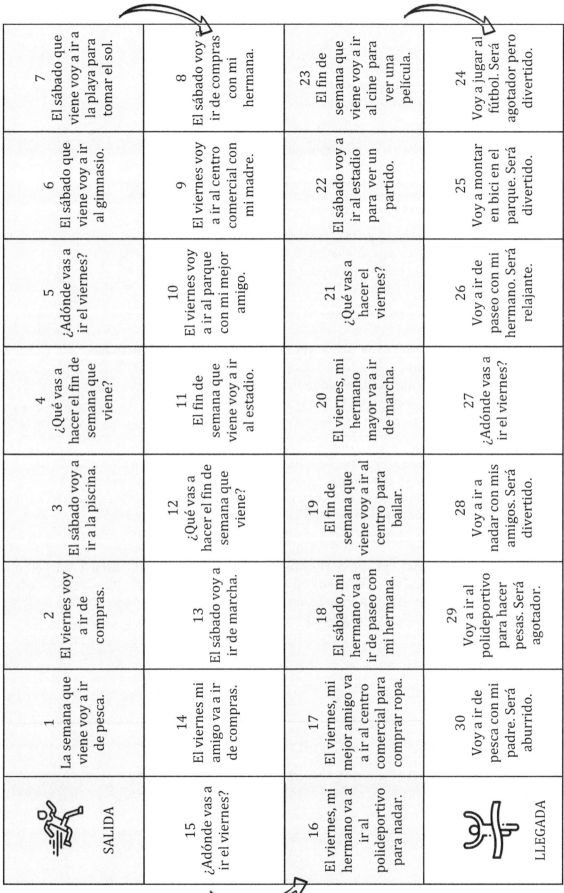

SALIDA

1 — La semana que viene voy a ir de pesca.

2 — El viernes voy a ir de compras.

3 — El sábado voy a ir a la piscina.

4 — ¿Qué vas a hacer el fin de semana que viene?

5 — ¿Adónde vas a ir el viernes?

6 — El sábado que viene voy a ir al gimnasio.

7 — El sábado que viene voy a ir a la playa para tomar el sol.

8 — El sábado voy a ir de compras con mi hermana.

9 — El viernes voy a ir al centro comercial con mi madre.

10 — El viernes voy a ir al parque con mi mejor amigo.

11 — El fin de semana que viene voy a ir al estadio.

12 — ¿Qué vas a hacer el fin de semana que viene?

13 — El sábado voy a ir de marcha.

14 — El viernes mi amigo va a ir de compras.

15 — ¿Adónde vas a ir el viernes?

16 — El viernes, mi hermano va a ir al polideportivo para nadar.

17 — El viernes, mi mejor amigo va a ir al centro comercial para comprar ropa.

18 — El sábado, mi hermano va a ir de paseo con mi hermana.

19 — El fin de semana que viene voy a ir al centro para bailar.

20 — El viernes, mi hermano mayor va a ir de marcha.

21 — ¿Qué vas a hacer el viernes?

22 — El sábado voy a ir al estadio para ver un partido.

23 — El fin de semana que viene voy a ir al cine para ver una película.

24 — Voy a jugar al fútbol. Será agotador pero divertido.

25 — Voy a montar en bici en el parque. Será divertido.

26 — Voy a ir de paseo con mi hermano. Será relajante.

27 — ¿Adónde vas a ir el viernes?

28 — Voy a ir a nadar con mis amigos. Será divertido.

29 — Voy a ir al polideportivo para hacer pesas. Será agotador.

30 — Voy a ir de pesca con mi padre. Será aburrido.

LLEGADA

THE LANGUAGE GYM

UNIT 13 – STAIRCASE TRANSLATION

Next weekend I am going to go to the stadium with my father to watch a football match.

Next weekend I am going to go to the stadium with my father to watch a football match. I am also going to the shopping centre with my mother to buy clothes.

Next weekend I am going to go to the stadium with my father to watch a football match. I am also going to the shopping centre with my mother to buy clothes. Afterwards, I am going to go to the park to ride my bike with my friends.

Next weekend I am going to go to the stadium with my father to watch a football match. I am also going to the shopping centre with my mother to buy clothes. Afterwards, I am going to go to the park to do cycling with my friends. Finally, I am going to go to the cinema with my best ...

Next weekend I am going to go to the stadium with my father to watch a football match. I am also going to the shopping centre with my mother to buy clothes. Afterwards, I am going to go to the park to do cycling with my friends. Finally, I am going to go to the cinema with my best friend to watch an action movie.

* Next weekend I am going to go to the stadium with my father to watch a football match. I am also going to the shopping centre with my mother to buy clothes. Afterwards, I am going to go to the park to do cycling with my friends. Finally, I am going to go to the cinema with my best friend to watch an action movie. It will be fun but tiring.

* Translate the last step here:

⏱️ UNIT 13 – FASTER! 🐦

Say:

1. On Friday I am going to go to the shopping mall to buy clothes.
2. My brother is going to go clubbing with his friends.
3. On Saturday I am going to go to the swimming pool with my parents.
4. My brother is going to go to a party with his girlfriend.
5. On Sunday I am going to go to the gym to do weights.
6. My brother is going to go to the beach with his best friend.
7. I am also going to the cinema with my best friend to watch an action movie.
8. My brother is going to go to the park to ride a bike with his friends.
9. It will be fun.
10. But it will be tiring too.

	Time	Mistakes	Referee's name
1			
2			
3			
4			

UNIT 13 – THINGS IN COMMON

¿Qué prefieres?	1	2	3	4	5
¿Ir al centro comercial o ir al parque?					
¿Jugar al fútbol o al baloncesto?					
¿Hacer natación o equitación?					
¿Ver una comedia o una película de horror?					
¿Montar en bici o hacer footing?					
¿Ir a la playa o ir al gimnasio?					
¿Ver un partido de fútbol en el estadio o en la televisión?					

UNIT 13 – COMMUNICATIVE DRILLS

1	2	3
What are you going to do next weekend? - On Saturday I am going to go to the swimming pool with my parents to swim. On Sunday I am going to go to the gym to do weights.	**What are you going to do next weekend?** - On Saturday I am going to go to the stadium with my father to watch a football match. On Sunday I am going to go to the sports centre to play basketball.	**What are you going to do next weekend?** - On Saturday I am going to go to the park with my friends to ride my bike. On Sunday I am going to go to the shopping centre to buy clothes.
4	**5**	**6**
What are you going to do next weekend? - On Saturday I am going to go to the cinema with my friends to watch a movie. On Sunday I am going to go to the beach with my girlfriend to sunbathe. It will be relaxing.	**What are you going to do next weekend?** - On Saturday I am going to go for a walk with my girlfriend. It will be relaxing. On Sunday I am going to go to the sports centre to play football with my friends. It will be fun but tiring.	**What are you going to do next weekend?** - On Saturday I am going to go to a party with my friends to dance and have fun (*divertirme*). On Sunday I am going to go to the sports centre to play tennis with my girlfriend. It will be fun.
7	**8**	**9**
What are you going to do next weekend? - On Saturday I am going to go to the stadium with my friends to watch a rugby match. On Sunday I am going to go to the sports centre to play basketball. It will be fun.	**What are you going to do next weekend?** - On Saturday I am going to go fishing with my father and my brother. It will be boring. On Sunday I am going to go shopping with my best friend. It will be interesting.	**What are you going to do next weekend?** - On Saturday I am going to go for a walk with my boyfriend. It will be relaxing. On Sunday I am going to go to the sports centre to play basketball with my friends. It will be fun but tiring.

UNIT 13 – COMMUNICATIVE DRILLS
REFEREE CARD

1	2	3
¿Qué vas a hacer el fin de semana que viene? - El sábado voy a ir a la piscina con mis padres para nadar. El domingo voy a ir al gimnasio para hacer pesas.	**¿Qué vas a hacer el fin de semana que viene?** - El sábado voy a ir al estadio con mi padre para ver un partido de fútbol. El domingo voy a ir al polideportivo para jugar al baloncesto.	**¿Qué vas a hacer el fin de semana que viene?** - El sábado voy a ir al parque con mis amigos para montar en bici. El domingo voy a ir al centro comercial para comprar ropa.
4	**5**	**6**
¿Qué vas a hacer el fin de semana que viene? - El sábado voy a ir al cine con mis amigos para ver una película. El domingo voy a ir a la playa con mi novia para tomar el sol. Será relajante.	**¿Qué vas a hacer el fin de semana que viene?** - El sábado voy a ir de paseo con mi novia. Será relajante. El domingo voy a ir al polideportivo para jugar al fútbol con mis amigos. Será divertido pero agotador.	**¿Qué vas a hacer el fin de semana que viene?** - El sábado voy a ir a una fiesta con mis amigos para bailar y divertirme. El domingo voy a ir al polideportivo para jugar al tenis con mi novia. Será divertido.
7	**8**	**9**
¿Qué vas a hacer el fin de semana que viene? - El sábado voy a ir al estadio con mis amigos para ver un partido de rugby. El domingo voy a ir al polideportivo para jugar al baloncesto. Será divertido.	**¿Qué vas a hacer el fin de semana que viene?** - El sábado voy a ir de pesca con mi padre y mi hermano. Será aburrido. El domingo voy a ir de compras con mi mejor amiga. Será interesante.	**¿Qué vas a hacer el fin de semana que viene?** - El sábado voy a ir de paseo con mi novio. Será relajante. El domingo voy a ir al polideportivo para jugar al baloncesto con mis amigos. Será divertido pero agotador.

THE LANGUAGE GYM

UNIT 13 – SURVEY

	What is your name?	What do you like to do in your free time?	What are you going to do on Friday after school? With whom?	What are you going to do on Saturday? With whom?	What are you going to do on Sunday? With whom?	And your brother? What is he going to do next weekend?
	¿Cómo te llamas?	¿Qué te gusta hacer en tu tiempo libre?	¿Qué vas a hacer el viernes después del colegio? ¿Con quién?	¿Qué vas a hacer el sábado? ¿Con quién?	¿Qué vas a hacer el domingo? ¿Con quién?	¿Y tu hermano? ¿Qué va a hacer el fin de semana que viene?
e.g.	Me llamo Miguel.	Me gusta jugar a la Play y al fútbol.	El viernes después del colegio voy a ir al polideportivo para jugar al baloncesto con mis amigos.	El sábado voy a ir de tiendas con mi madre.	El domingo voy a ir al parque con mi novia.	El fin de semana, mi hermano va a ir al restaurante chino para cenar.
1						
2						
3						
4						
5						
6						

UNIT 13 – ANSWERS

FIND SOMEONE WHO

	Find someone who...	Name
1.	...is going to go to the shopping mall with his friends.	Ramón
2.	...is going to go to the cinema with his girlfriend.	Jaime
3.	...is going to go to the swimming pool with her female friends.	Teresa
4.	...is going to go to the gym with her friends.	Ana
5.	...is going to go for a walk with his girlfriend.	Eduardo
6.	...is going to go for a walk with her boyfriend.	Amparo
7.	...is going to go to the gym with her brother.	Juana
8.	...is going to go to the sports centre with his friends.	Pedro
9.	...is going to go to the shopping mall with her friends.	María
10.	...is going to go to the cinema with her boyfriend.	Renata
11.	...is going to go fishing with her female friends.	Isabel
12.	...is going to go to the stadium with his friends.	Víctor
13.	...is going to go clubbing with his female friends.	Joaquín
14.	...is going to go to the park with her friends.	Clara
15.	...is a red herring! 🐟 (No match)	Belén / Susana

STAIRCASE TRANSLATION

El fin de semana que viene voy a ir al estadio con mi padre para ver un partido de fútbol. También voy a ir al centro comercial con mi madre para comprar ropa. Después voy a ir al parque para hacer ciclismo con mis amigos. Por último, voy a ir al cine con mi mejor amigo para ver una película de acción. Será divertido pero agotador.

FASTER!

REFEREE SOLUTION:
1. El viernes voy a ir al centro comercial para comprar ropa.
2. Mi hermano va a ir de marcha con sus amigos.
3. El sábado voy a ir a la piscina con mis padres.
4. Mi hermano va a ir a una fiesta con su novia.
5. El domingo voy a ir al gimnasio para hacer pesas.
6. Mi hermano va a ir a la playa con su mejor amigo.
7. También voy al cine con mi mejor amigo para ver una película de acción.
8. Mi hermano va a ir al parque para montar en bici con sus amigos.
9. Será divertido.
10. Pero también será agotador.

THINGS IN COMMON

Students give their own answers to the questions and make a note of which students they have things in common with.

UNIT 14
Talking about food

¿Qué te gusta comer y beber? ¿Por qué? *What do you like to eat and drink? Why?*

Singular

Me encanta *I love* **Me gusta** *I like* **Me gusta mucho** *I like a lot* **Me gusta un poco** *I like a bit* **Prefiero** *I prefer* **No me gusta** *I don't like* **Odio** *I hate*	**el arroz** *rice* **el café** *coffee* **el chocolate** *chocolate* **el pan** *bread* **el pescado** *fish* **el pollo asado** *roast chicken* **el queso** *cheese* **el zumo de fruta** *fruit juice* ****el agua** *water* **la carne** *meat* **la ensalada verde** *green salad* **la fruta** *fruit* **la leche** *milk* **la miel** *honey*	**porque** *because*	**es** *it is* **no es** *it is not*	**amargo/a** *bitter* **asqueroso/a** *disgusting* **delicioso/a** *delicious* ***dulce** *sweet* **duro/a** *tough* **grasiento/a** *greasy* **picante** *spicy* **refrescante** *refreshing* **rico/a en proteínas** *rich in protein* **sabroso/a** *tasty* **salado/a** *salty* **saludable** *healthy*

Plural

Me encantan *I love* **Me gustan mucho** *I like a lot* **Me gustan** *I like*	**los champiñones** *mushrooms* **los huevos** *eggs* **los plátanos** *bananas* **los tomates** *tomatoes*	**porque son** *because they are*	**asquerosos** *disgusting* **deliciosos** *delicious* **dulces** *sweet* **duros** *tough* **saludables** *healthy*
Me gustan un poco *I like a bit* **No me gustan** *I don't like* **Odio** *I hate* **Prefiero** *I prefer*	**las fresas** *strawberries* **las gambas** *prawns* **las hamburguesas** *burgers* **las manzanas** *apples* **las naranjas** *oranges* **las verduras** *vegetables* **las zanahorias** *carrots*		**grasientas** *greasy* **refrescantes** *refreshing* **ricas en proteínas** *rich in protein* **sabrosas** *tasty* **saludables** *healthy*

Author's note: ** Adjectives ending in 'e' do not change from masculine to feminine.*
*** "Agua" is a **feminine** noun but takes the masculine article "el". This is because the **first 'a'** of 'agua' is stressed. Therefore there would be a phonetic clash if we had to say "l**a a**gua".*

UNIT 14 – FIND SOMEONE WHO – Student Cards

Me gusta el pescado. No me gusta la carne. **LEONARDO**	Me gusta el arroz. No me gusta el queso. **RAFAEL**	Me gustan las verduras. No me gusta el pollo. **DIANA**	Me gusta la carne. No me gusta el pescado. **PABLO**
Me gustan los chocolates. No me gustan las verduras. **SEBASTIÁN**	Me gustan los plátanos. No me gustan las manzanas. **ANDRÉS**	Me gustan las hamburguesas. No me gustan las salchichas. **DANIELA**	Me gusta la pasta. No me gusta el arroz. **ALEJANDRA**
Me gustan las gambas. No me gustan las naranjas. **DANIEL**	Me gustan los tomates. No me gustan los champiñones. **ALEJANDRO**	Me gusta el pescado. No me gustan las hamburguesas. **OLIVIA**	Me gustan los huevos. No me gustan las fresas. **JULIO**
Me gustan los tomates. No me gustan las cerezas. **LUCAS**	Me gustan las naranjas. No me gusta la pasta. **VALERIA**	Me gusta el pollo. No me gustan las espinacas. **MIRIAM**	Me gustan los huevos. No me gusta el pescado. **ENRIQUE**

UNIT 14 – FIND SOMEONE WHO – Student Grid

Find someone who...		Name
1.	...doesn't like meat.	
2.	...likes rice.	
3.	...likes vegetables.	
4.	...likes meat.	
5.	...likes chocolates.	
6.	...likes bananas.	
7.	...doesn't like sausages.	
8.	...likes pasta.	
9.	...doesn't like oranges.	
10.	...likes tomatoes.	
11.	...likes fish.	
12.	...doesn't like chicken.	
13.	...likes eggs.	
14.	...is a red herring! 🐟 (No match)	

UNIT 14 – ORAL PING PONG – Person A

ENGLISH 1	SPANISH 1	ENGLISH 2	SPANISH 2
I love bread.	Me encanta el pan.	I love meat because it is rich in protein.	Me encanta la carne porque es rica en proteínas.
I like cheese.		I like chicken a lot because it is healthy.	
I prefer water.	Prefiero el agua.	I love coffee because it is delicious.	Me encanta el café porque es delicioso.
I like fruit a lot.		I hate eggs because they are disgusting.	
I hate meat.	Odio la carne.	I don't like hamburgers because they are greasy.	No me gustan las hamburguesas porque son grasientas.
I love chocolate.		I don't like cheese because it is salty.	
I like bananas a lot.	Me gustan mucho los plátanos.	I love mushrooms because they are delicious.	Me encantan los champiñones porque son deliciosos.
I love tomatoes.		I hate fish because it is disgusting.	
I don't like fish.	No me gusta el pescado.	I don't like carrots because they are hard.	No me gustan las zanahorias porque son duras.
I like green salad because it is refreshing.		I love apples because they are healthy and delicious.	

UNIT 14 – ORAL PING PONG – Person B

ENGLISH 1	SPANISH 1	ENGLISH 2	SPANISH 2
I love bread.		I love meat because it is rich in protein.	
I like cheese.	Me gusta el queso.	I like chicken a lot because it is healthy.	Me gusta el pollo porque es saludable.
I prefer water.		I love coffee because it is delicious.	
I like fruit a lot.	Me gusta mucho la fruta.	I hate eggs because they are disgusting.	Odio los huevos porque son asquerosos.
I hate meat.		I don't like hamburgers because they are greasy.	
I love chocolate.	Me encanta el chocolate.	I don't like cheese because it is salty.	No me gusta el queso porque es salado.
I like bananas a lot.		I love mushrooms because they are delicious.	
I love tomatoes.	Me encantan los tomates.	I hate fish because it is disgusting.	Odio el pescado porque es asqueroso.
I don't like fish.		I don't like carrots because they are hard.	
I like green salad because it is refreshing.	Me gusta la ensalada verde porque es refrescante.	I love apples because they are healthy and delicious.	Me encantan las manzanas porque son saludables y deliciosas.

No Snakes No Ladders

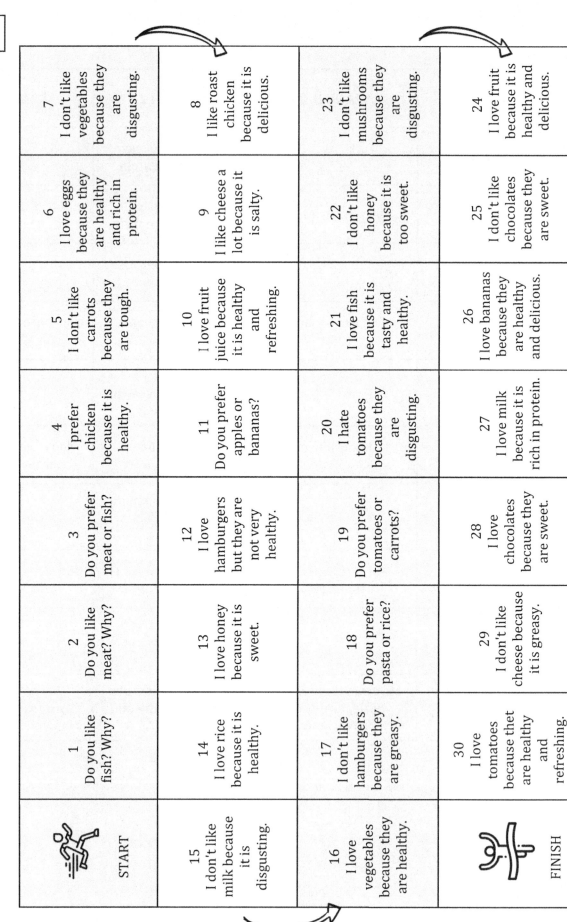

7 I don't like vegetables because they are disgusting.	**6** I love eggs because they are healthy and rich in protein.	**5** I don't like carrots because they are tough.	**4** I prefer chicken because it is healthy.	**3** Do you prefer meat or fish?	**2** Do you like meat? Why?	**1** Do you like fish? Why?
8 I like roast chicken because it is delicious.	**9** I like cheese a lot because it is salty.	**10** I love fruit juice because it is healthy and refreshing.	**11** Do you prefer apples or bananas?	**12** I love hamburgers but they are not very healthy.	**13** I love honey because it is sweet.	**14** I love rice because it is healthy.
23 I don't like mushrooms because they are disgusting.	**22** I don't like honey because it is too sweet.	**21** I love fish because it is tasty and healthy.	**20** I hate tomatoes because they are disgusting.	**19** Do you prefer tomatoes or carrots?	**18** Do you prefer pasta or rice?	**17** I don't like hamburgers because they are greasy.
24 I love fruit because it is healthy and delicious.	**25** I don't like chocolates because they are sweet.	**26** I love bananas because they are healthy and delicious.	**27** I love milk because it is rich in protein.	**28** I love chocolates because they are sweet.	**29** I don't like cheese because it is greasy.	**30** I love tomatoes because thet are healthy and refreshing.
						15 I don't like milk because it is disgusting.
						16 I love vegetables because they are healthy.

START

FINISH

No Snakes No Ladders

7 No me gustan las verduras porque son asquerosas.	**6** Me encantan los huevos porque son saludables y ricos en proteínas.	**5** No me gustan las zanahorias porque son duras.	**4** Prefiero el pollo porque es saludable.	**3** ¿Prefieres la carne o el pescado?	**2** ¿Te gusta la carne? ¿Por qué?	**1** ¿Te gusta el pescado? ¿Por qué?
8 Me gusta el pollo asado porque es delicioso.	**9** Me gusta mucho el queso porque es salado.	**10** Me encanta el zumo de frutas porque es saludable y refrescante.	**11** ¿Prefieres las manzanas o los plátanos?	**12** Me encantan las hamburguesas pero no son muy saludables.	**13** Me encanta la miel porque es dulce.	**14** Me encanta el arroz porque es saludable.
23 No me gustan los champiñones porque son asquerosos.	**22** No me gusta la miel porque es demasiado dulce.	**21** Me encanta el pescado porque es sabroso y saludable.	**20** Odio los tomates porque son asquerosos.	**19** ¿Prefieres los tomates o las zanahorias?	**18** ¿Prefieres la pasta o el arroz?	**17** No me gustan las hamburguesas porque son grasientas.
24 Me encanta la fruta porque es saludable y deliciosa.	**25** No me gustan los chocolates porque son dulces.	**26** Me encantan los plátanos porque son saludables y deliciosos.	**27** Me encanta la leche porque es rica en proteínas.	**28** Me encantan los chocolates porque son dulces.	**29** No me gusta el queso porque es grasiento.	**30** Me encantan los tomates porque son saludables y refrescantes.
						LLEGADA
						SALIDA
15 No me gusta la leche porque es asquerosa.	**16** Me encantan las verduras porque son saludables.					

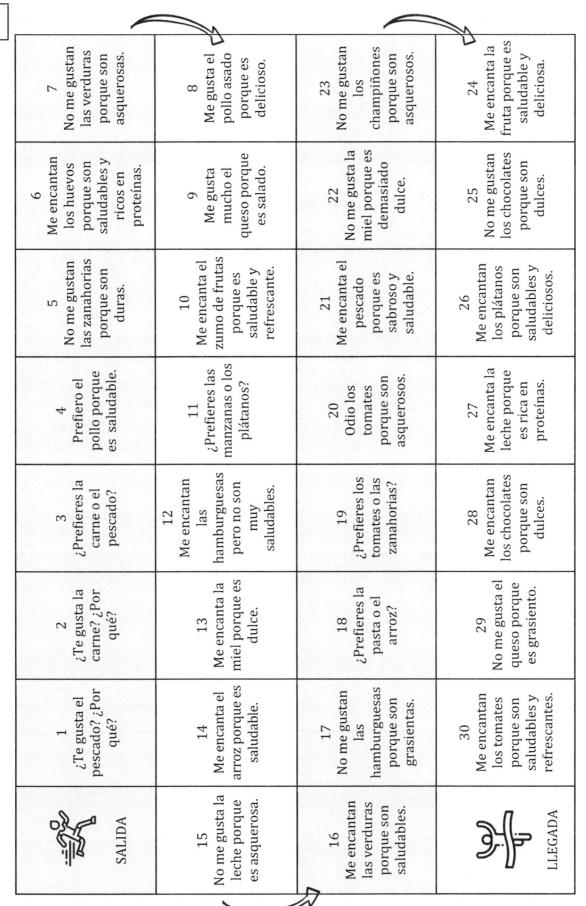

UNIT 14 – STAIRCASE TRANSLATION

What food do I like?

What food do I like? Well, I love roast chicken because it is healthy and delicious.

What food do I like? Well, I love roast chicken because it is healthy and delicious. I also love vegetables because they are rich in vitamins and minerals.

What food do I like? Well, I love roast chicken because it is healthy and delicious. I also love vegetables because they are rich in vitamins and minerals. I also like cheese very much because it is salty and tasty.

What food do I like? Well, I love roast chicken because it is healthy and delicious. I also love vegetables because they are rich in vitamins and minerals. I also like cheese very much because it is salty and tasty. Moreover, I like tomatoes because they are refreshing and very healthy.

* What food do I like? Well, I love roast chicken because it is healthy and delicious. I also love vegetables because they are rich in vitamins and minerals. I also like cheese very much because it is salty and tasty. Moreover, I like tomatoes because they are refreshing and very healthy. I hate fish. It is healthy but it is disgusting. And you *(¿y a ti?)*? What do you like?

* Translate the
last step here:

⏱️ UNIT 14 – FASTER! 🐦

Say:

1. I love roast chicken...
2. ...because it is tasty and healthy.
3. I like tomatoes a lot...
4. ...because they are refreshing and delicious.
5. I like meat a lot too...
6. ...because it is rich in protein.
7. I hate hamburgers ...
8. ...because they are greasy and disgusting.
9. I don't like chocolate...
10. ...because they are too sweet and they are not healthy.

	Time	Mistakes	Referee's name
1			
2			
3			
4			

UNIT 14 – THINGS IN COMMON

¿Qué prefieres?	1	2	3	4	5
¿Carne o verduras?					
¿Zanahorias o tomates?					
¿Café o té?					
¿Zumo de naranja o zumo de manzana?					
¿Ensalada o hamburguesa?					
¿Helado de chocolate o de fresa?					
¿Pasta o arroz?					

UNIT 14 – COMMUNICATIVE DRILLS

1	2	3
Do you prefer meat or fish? - I prefer meat because it is rich in protein and it is delicious. **Do you like vegetables?** - No, I don't like vegetables because they are disgusting.	**What food do you like?** - I love pasta and rice. I also like roast chicken. It is delicious. **What food do you not like?** - I hate eggs. They are disgusting.	**What food do you not like?** - I don't like vegetables, I don't like eggs and I don't like burgers. **Why?** - I don't like vegetables because they are disgusting. I don't like burgers because they are greasy and not healthy.

4	5	6
Do you like roast chicken? - Yes, I love roast chicken. It's tasty and healthy. **Do you like vegetables?** - Vegetables are healthy but I don't like them. They are disgusting.	**Do you like eggs?** - Yes, I love eggs because they are delicious and rich in protein. **Do you like tomatoes?** - No, I don't like them. Tomatoes are healthy but they are disgusting.	**Do you like hamburgers?** - Yes, I like hamburgers because they are tasty. But they are greasy and not healthy. **Do you like roast chicken?** - Yes, I love roast chicken because it is tasty and rich in protein.

7	8	9
Do you like chocolates? - Yes, I love chocolates because they are sweet and delicious. **Do you like honey?** I also *(también)* love honey. I love honey with bread and honey with fruit. It is sweet, delicious and healthy.	**What food do you love?** - I love vegetables. They are healthy and delicious. I also love seafood, especially *(especialmente)* prawns because they are tasty and salty. **What food do you hate?** - I hate hamburgers and french fries because they are greasy not very healthy.	**What food do you like?** - I like green salad with tomatoes because it is refreshing, delicious and tasty. **What food do you not like?** - I don't like meat because it is greasy and not healthy. I don't like milk. It is disgusting.

UNIT 14 - COMMUNICATIVE DRILLS
REFEREE CARD

1	2	3
¿Prefieres la carne o el pescado? - Prefiero la carne porque es rica en proteínas y es deliciosa. **¿Te gustan las verduras?** - No, no me gustan las verduras porque son asquerosas.	**¿Que comida te gusta?** - Me encanta la pasta y el arroz. También me gusta el pollo asado. Es delicioso. **¿Qué comida no te gusta?** - Odio los huevos. Son asquerosos.	**¿Qué comida no te gusta?** - No me gustan las verduras, no me gustan los huevos y no me gustan las hamburguesas. **¿Por qué?** - No me gustan las verduras porque son asquerosas. No me gustan las hamburguesas porque son grasientas y no son saludables.
4	**5**	**6**
¿Te gusta el pollo asado? - Sí, me encanta el pollo asado. Es sabroso y saludable. **¿Te gustan las verduras?** - Las verduras son saludables pero no me gustan. Son asquerosas.	**¿Te gustan los huevos?** - Sí, me encantan los huevos porque son deliciosos y ricos en proteínas. **¿Te gustan los tomates?** - No, no me gustan. Los tomates son saludables pero son asquerosos.	**¿Te gustan las hamburguesas?** - Sí, me gustan las hamburguesas porque son sabrosas. Pero son grasientas y no son saludables. **¿Te gusta el pollo asado?** - Sí, me encanta el pollo asado porque es sabroso y rico en proteínas.
7	**8**	**9**
¿Te gustan los chocolates? - Sí, me encantan los chocolates porque son dulces y deliciosos. **¿Te gusta la miel?** - (A mí) También me encanta la miel. Me encanta la miel con pan y la miel con fruta. Es dulce, deliciosa y saludable.	**¿Qué comida te encanta?** - Me encantan las verduras. Son saludables y deliciosas. También me encanta el marisco, especialmente las gambas porque son sabrosas y saladas. **¿Qué comida odias?** - Odio las hamburguesas y las patatas fritas porque son grasientas y no muy saludables.	**¿Que comida te gusta?** - Me gusta la ensalada verde con tomate porque es refrescante, deliciosa y sabrosa. **¿Qué comida no te gusta?** - No me gusta la carne porque es grasienta y no es saludable. No me gusta la leche. Es asquerosa.

UNIT 14 – SURVEY

	What is your name? ¿Cómo te llamas?	What do you like to eat? ¿Qué te gusta comer?	What don't you like to eat? ¿Qué no te gusta comer?	What do you like to drink? ¿Qué te gusta beber?	What don't you like to drink? ¿Qué no te gusta beber?
e.g.	Me llamo Paola.	Me gusta comer huevos porque son saludables y ricos en proteínas.	No me gusta comer patatas fritas porque son grasientas.	Me gusta mucho beber zumo de naranja porque es refrescante y saludable.	No me gusta nada beber leche porque es asquerosa.
1					
2					
3					
4					
5					
6					
7					

UNIT 14 – ANSWERS

FIND SOMEONE WHO

Find someone who...		Name
1.	...doesn't like meat.	Leonardo
2.	...likes rice.	Rafael
3.	...likes vegetables.	Diana
4.	...likes meat.	Pablo
5.	...likes chocolates.	Sebastián
6.	...likes bananas.	Andrés
7.	...doesn't like sausages.	Daniela
8.	...likes pasta.	Alejandra
9.	...doesn't like oranges.	Daniel
10.	...likes tomatoes.	Alejandro / Lucas
11.	...likes fish.	Olivia / Leonardo
12.	...doesn't like chicken.	Diana
13.	...likes eggs.	Julio / Enrique
14.	...is a red herring! 🐟 (No match)	Valeria / Miriam

STAIRCASE TRANSLATION

¿Qué comida me gusta? Bueno/Pues, (a mí) me encanta el pollo asado porque es saludable y delicioso. También me encantan las verduras porque son ricas en vitaminas y minerales. También me gusta mucho el queso porque es salado y sabroso. Además, me gustan los tomates porque son refrescantes y muy saludables. Odio el pescado. Es saludable pero es asqueroso. ¿Y a ti? ¿Qué te gusta?

FASTER!

REFEREE SOLUTION:

1. Me encanta el pollo asado...
2. ...porque es sabroso y saludable.
3. Me gustan mucho los tomates...
4. ...porque son refrescantes y deliciosos.
5. (A mí) También me gusta mucho la carne...

6. ...porque es rica en proteínas.
7. Odio las hamburguesas...
8. ...porque son grasientas y asquerosas.
9. No me gusta el chocolate...
10. ...porque es demasiado dulce y no es saludable.

THINGS IN COMMON

Students give their own answers to the questions and make a note of which students they have things in common with.

UNIT 15
My holiday plans

INSTRUCTIONS
FOR ALL GAMES
ARE ON PAGES 1-2

¿Adónde vas a ir este verano?	*Where are you going to go this summer?*
¿Cómo vas a viajar?	*How are you going to travel?*
¿Cuánto tiempo vas a pasar allí?	*How long are you going to spend there?*
¿Dónde vas a quedarte?	*Where are you going to stay?*
¿Qué vas a hacer durante las vacaciones?	*What are you going to do during the holidays?*

Este verano voy a ir a
This summer I am going to go to
Voy a ir de vacaciones a
I am going to go on holiday to
Vamos a ir de vacaciones a
We are going to go on holiday to

Argentina	**en autocar** *by coach*
Chile	**en avión** *by plane*
Cuba	**en barco** *by boat*
España	**en coche** *by car*
México	**en tren** *by train*

Voy a pasar
I am going to spend
Vamos a pasar
We are going to spend

una semana *1 week*	**allí** *there*
dos semanas *2 weeks*	**con mi familia** *with my family*

Voy a quedarme en
I am going to stay in
Vamos a quedarnos en
We are going to stay in

la casa de mi familia

un camping

un hotel barato *a cheap hotel*

un hotel de lujo *a luxury hotel*

Será aburrido
It will be boring

Será divertido
It will be fun

Será guay
It will be cool

Será relajante
It will be relaxing

Voy a
I am going to

Vamos a
We are going to

Me gustaría
I would like to

Nos gustaría
We would like to

bailar	*dance*
comer comida deliciosa	*eat delicious food*
comer y dormir	*eat and sleep*
comprar recuerdos	*buy souvenirs*
descansar	*rest*
hacer buceo	*go diving*
hacer deporte	*do sport*
hacer turismo	*go sightseeing*
ir a la playa	*go to the beach*
ir de compras/tiendas	*go shopping*
ir de marcha	*go clubbing*
jugar con mis amigos	*play with my friends*
montar en bici	*go biking*
salir al centro	*go out into town*
tocar el ukelele	*play the ukulele*
tomar el sol	*sunbathe*

UNIT 15 – FIND SOMEONE WHO – Student Cards

Este verano voy a ir de vacaciones a Inglaterra con mi familia. Vamos a viajar en barco. Vamos a pasar una semana allí. **INÉS**	Este verano voy a ir de vacaciones a China con mi familia. Vamos a ir en autocar. Vamos a pasar dos semanas allí. **JULIETA**	Este verano voy a ir de vacaciones a Francia con mi familia. Vamos a viajar en barco. Vamos a pasar cinco días allí. **HUGO**	Este verano voy a ir de vacaciones a Cuba con mi amiga Marta. Vamos a ir en avión. Vamos a pasar una semana y media allí. **CONSUELO**
Este verano voy a ir de vacaciones a Italia con mi familia. Vamos a ir en autocar. Vamos a pasar cuatro semanas allí. **CLARA**	Este verano voy a ir de vacaciones a China con mi familia. Vamos a ir en avión. Vamos a pasar tres semanas allí. **LUNA**	Este verano voy a ir de vacaciones a Japón con mis tíos. Vamos a viajar en barco. Vamos a pasar tres semanas allí. **BRUNO**	Este verano voy a ir de vacaciones a Corea con mi novio. Vamos a ir en avión. Vamos a pasar dos semanas allí. **CLAUDIA**
Este verano voy a ir de vacaciones a los Estados Unidos con mi novio. Vamos a ir en barco. Vamos a pasar ocho días allí. **ALMA**	Este verano voy a ir de vacaciones a Portugal con mi hermano mayor. Vamos a ir en coche. Vamos a pasar diez días allí. **TOMÁS**	Este verano voy a ir de vacaciones a Alemania con mis amigos. Vamos a ir en tren. Vamos a pasar una semana allí. **ADRIÁN**	Este verano voy a ir de vacaciones a Malta con mi novia. Vamos a ir en barco. Vamos a pasar diez días allí. **JORDI**
Este verano voy a ir de vacaciones a Malta con mi familia. Vamos a ir en barco. Vamos a pasar seis días allí. **ELENA**	Este verano voy a ir de vacaciones a Japón con mi novia. Vamos a ir en barco. Vamos a pasar un mes allí. **LORENZO**	Este verano voy a ir de vacaciones a Escocia con mis tres hermanos. Vamos a ir en coche. Vamos a pasar quince días allí. **GAEL**	Este verano voy a ir de vacaciones a Irlanda con mis dos hermanos. Vamos a ir en barco. Vamos a pasar tres semanas allí. **SERGIO**

UNIT 15 – FIND SOMEONE WHO – Student Grid

Find someone who...		Name
1.	...is going to go by boat to England.	
2.	...is going to spend their holiday in Japan.	
3.	...is going on holiday for six days.	
4.	...is going to travel to Malta.	
5.	...is going to go to Japan by boat.	
6.	...is going to go to Portugal.	
7.	...is going to travel by coach.	
8.	...is going to travel by plane to an Asian country.	
9.	...is going to travel with their two brothers.	
10.	...is going on holiday for a month.	
11.	...is going to travel to Germany.	
12.	...is going to spend two weeks in an Asian country.	
13.	...is going to travel by plane to Cuba.	
14.	...is going to go by boat to the USA.	
15.	...is a red herring! 🐟 (No match)	

UNIT 15 – ORAL PING PONG – Person A

ENGLISH 1	SPANISH 1	ENGLISH 2	SPANISH 2
This summer I am going to go on holiday to Cuba.	Este verano voy a ir de vacaciones a Cuba.	**We are going to stay in a cheap hotel.**	Vamos a quedarnos en un hotel barato.
I am going to go to Spain by car.		**We are going to rest. It will be relaxing.**	
We are going to go to Mexico by plane.	Vamos a ir a México en avión.	**This summer I am going to go on holiday to Italy.**	Este verano voy a ir de vacaciones a Italia.
I am going to go to Greece by boat.		**We are going to go to Japan by plane.**	
We are going to stay in a cheap hotel.	Vamos a quedarnos en un hotel barato.	**I am going to go sightseeing, eat and sleep. It will be relaxing.**	Voy a hacer turismo, comer y dormir. Será relajante.
We are going to stay in a luxury hotel.		**This summer I am going to go on holiday to France. It will be cool.**	
I am going to stay on a campsite.	Voy a quedarme en un camping.	**We are going to buy souvenirs and clothes. It will be fun.**	Vamos a comprar recuerdos y ropa. Será divertido.
I am going to go sightseeing. It will be boring.		**I am going to play with my friends on the beach.**	
I am going to go clubbing. It will be fun.	Voy a ir de marcha. Será divertido.	**We are going to go to the beach. It will be cool.**	Vamos a ir a la playa. Será guay.
I am going to go out. It will be cool.		**I am going to go diving. It will be fun.**	

UNIT 15 – ORAL PING PONG – Person B

ENGLISH 1	SPANISH 1	ENGLISH 2	SPANISH 2
This summer I am going to go on holiday to Cuba.		We are going to stay in a cheap hotel.	
I am going to go to Spain by car.	Voy a ir a España en coche.	We are going to rest. It will be relaxing.	Vamos a descansar. Será relajante.
We are going to go to Mexico by plane.		This summer I am going to go on holiday to Italy.	
I am going to go to Greece by boat.	Voy a ir a Grecia en barco.	We are going to go to Japan by plane.	Vamos a ir a Japón en avión.
We are going to stay in a cheap hotel.		I am going to go sightseeing, eat and sleep. It will be relaxing.	
We are going to stay in a luxury hotel.	Vamos a quedarnos en un hotel de lujo.	This summer I am going to go on holiday to France. It will be cool.	Este verano voy a ir de vacaciones a Francia. Será guay.
I am going to stay on a campsite.		We are going to buy souvenirs and clothes. It will be fun.	
I am going to go sightseeing. It will be boring.	Voy a hacer turismo. Será aburrido.	I am going to play with my friends on the beach.	Voy a jugar con mis amigos en la playa.
I am going to go clubbing. It will be fun.		We are going to go to the beach. It will be cool.	
I am going to go out. It will be cool.	Voy a salir. Será guay.	I am going to go diving. It will be fun.	Voy a hacer buceo. Será divertido.

No Snakes No Ladders

7 We are going to rest and sunbathe on the beach.	**6** I am going to go sightseeing and shopping.	**5** What are you going to do?	**4** I am going to go on holiday to the USA.	**3** I am going to go on holiday to France.	**2** I am going to go on holiday to Spain.	**1** Where are you going to go on holiday?
8 We are going to go diving and sunbathe.	**9** I am going to do sport and to go clubbing.	**10** Where are you going to stay?	**11** I am going to stay in a cheap hotel.	**12** We are going to stay in a luxury hotel.	**13** How long are you going to spend there?	**14** I am going to spend a week there.
23 I am going to go diving. It will be cool.	**22** I am going to stay in the family home.	**21** I am going to stay on a campsite.	**20** I am going to go to Greece.	**19** What are you going to do on holiday?	**18** I am going to go clubbing and dance.	**17** I am going to eat delicious food.
24 Where are you going to go on holiday?	**25** I am going to go clubbing. It will be fun.	**26** I am going to play with my friends. It will be fun.	**27** What are you going to do?	**28** I am going to rest and sunbathe. It wil be relaxing.	**29** I am going to go out to the town center every day. It will be fun.	**30** I am going to do sport, go sightseeing and eat delicious food.

START

FINISH

15 I am going to spend two weeks there.

16 I am going to spend a month there.

THE LANGUAGE GYM

No Snakes No Ladders

7 Vamos a descansar y tomar el sol en la playa.	6 Voy a hacer turismo e ir de compras.	5 ¿Qué vas a hacer?	4 Voy a ir de vacaciones a los Estados Unidos.	3 Voy a ir de vacaciones a Francia.	2 Voy a ir de vacaciones a España.	1 ¿Adónde vas a ir de vacaciones?
8 Vamos a hacer buceo y tomar el sol.	9 Voy a hacer deporte e ir de marcha.	10 ¿Dónde vas a quedarte?	11 Voy a quedarme en un hotel barato.	12 Vamos a quedarnos en un hotel de lujo.	13 ¿Cuánto tiempo vas a pasar allí?	14 Voy a pasar una semana allí.
23 Voy a hacer buceo. Será guay.	22 Voy a quedarme en la casa de la familia.	21 Voy a quedarme en un camping.	20 Voy a ir a Grecia.	19 ¿Qué vas a hacer en las vacaciones?	18 Voy a ir de marcha y a bailar.	17 Voy a comer comida deliciosa.
24 ¿Adónde vas a ir de vacaciones?	25 Voy a ir de marcha. Será divertido.	26 Voy a jugar con mis amigos. Será divertido.	27 ¿Qué vas a hacer?	28 Voy a descansar y tomar el sol. Será relajante.	29 Voy a salir al centro todos los días. Será divertido.	30 Voy a hacer deporte, hacer turismo y comer comida deliciosa.

SALIDA

15 Voy a pasar dos semanas allí.

16 Voy a pasar un mes allí.

LLEGADA

THE LANGUAGE GYM

187

UNIT 15 – STAIRCASE TRANSLATION

This summer I am going to go on holiday to Argentina with my family.

This summer I am going to go on holiday to Argentina with my family. We are going to go there by plane.

This summer I am going to go on holiday to Argentina with my family. We are going to go there by plane. We are going to stay there for two weeks.

This summer I am going to go on holiday to Argentina with my family. We are going to go there by plane. We are going to stay there for two weeks. We are going to stay in a cheap hotel.

This summer I am going to go on holiday to Argentina with my family. We are going to go there by plane. We are going to stay there for two weeks. We are going to stay in a cheap hotel. We are going to go sightseeing, to eat delicious food, to go shopping and to sunbathe.

* This summer I am going to go on holiday to Argentina with my family. We are going to go there by plane. We are going to stay there for two weeks. We are going to stay in a cheap hotel. We are going to go sightseeing, to eat delicious food, to go shopping and to sunbathe. It will be relaxing and fun.

* Translate the
last step here:

⏱️ UNIT 15 – FASTER! 🚀

Say:

1. Next summer I am going to go on holiday.
2. I am going to go to Spain.
3. I am going to go by plane.
4. I am going to stay there a week.
5. I am going to stay in a luxury hotel in Malaga.
6. I am going to go to the beach every day.
7. I am going to sunbathe.
8. I am going to play with my friends.
9. I am going to go diving.
10. It will be relaxing and fun.

	Time	Mistakes	Referee's name
1			
2			
3			
4			

UNIT 15 – FLUENCY CARDS

COUNTRY	TRANSPORT	DURATION	ACCOMMODATION	ACTIVITIES
Spain	🚗	One week	🏨 ✪✪✪	
Italy	🚆	Five days	🏨 ✪✪✪✪	
Greece	🚢	Two weeks	⛺	
France	✈️	One month	🏠 *family house	
Germany	🚌	Ten days	🏨 💰⬇	

	Time	Mistakes
1.		
2.		
3.		
4.		

THE LANGUAGE GYM

UNIT 15 – COMMUNICATIVE DRILLS

1	2	3
Where are you going on holiday? - I am going to go to England. **Who are you going with?** - I am going there with my family. **How many days are going to spend there?** -We are going to spend two weeks there. **Where are you going to stay?** - We are going to stay in a cheap hotel in London. **What are you going to do?** - We are going to go sightseeing, go shopping and go clubbing. It will be cool.	**Where are you going on holiday?** - I am going to go to Spain. **Who are you going with?** - I am going there with my friends. **How many days are you going to spend there?** - We are going to spend ten days there. **Where are you going to stay?** - We are going to stay in a luxury hotel near Barcelona. **What are you going to do?** We are going to the beach, sunbathe, play football and go clubbing. It will be fun.	**Where are you going on holiday?** - I am going to go to France. **Who are you going with?** - I am going there with my family. **How many days are you going to spend there?** - We are going to spend three weeks there. **Where are you going to stay?** - We are going to stay in a cheap hotel in Paris and a luxury hotel in Nice *(Niza)*. **What are you going to do?** - We are going to go sightseeing, buy clothes and souvenirs, and eat delicious food. It will be great.
4	5	6
Where are you going on holiday? - I am going to go to Greece. **Who are you going with?** - I am going there with my uncles. **How many days are you going to spend there?** - We are going to spend ten days. **Where are you going to stay?** - We are going to stay in a cheap hotel in Santorini. **What are you going to do?** - We are going to go diving, horse riding and rest. It will be relaxing.	**Where are you going on holiday?** - I am going to go to Portugal. **Who are you going with?** - I am going there with my grandparents. **How many days are you going to spend there?** - We are going to spend two weeks there. **Where are you going to stay?** - We are going to stay in my family's home in Lisbon. **What are you going to do?** - We are going to eat, sleep, watch television and go sightseeing. It will be a bit boring.	**Where are you going on holiday?** - I am going to go to Mexico. **Who are you going with?** - I am going there with my family. **How many days are you going to spend there?** - We are going to spend two weeks there. **Where are you going to stay?** - We are going to stay in a luxury hotel in Cancun. **What are you going to do?** - We are going to go sightseeing, diving, shopping and clubbing. I am also going to go rock climbing and do cycling. It will be cool and fun.

UNIT 15 – COMMUNICATIVE DRILLS REFEREE CARD

1	2	3
¿Adónde vas a ir de vacaciones? - Voy a ir a Inglaterra. **¿Con quién vas?** - Voy allí con mi familia. **¿Cuántos días vas a pasar allí?** -Vamos a pasar dos semanas allí. **¿Dónde vas a quedarte?** - Vamos a quedarnos en un hotel barato en Londres. **¿Qué vas a hacer?** - Vamos a hacer turismo, ir de compras e ir de marcha. Será guay.	**¿Adónde vas a ir de vacaciones?** - Voy a ir a España. **¿Con quién vas?** - Voy allí con mis amigos. **¿Cuántos días vas a pasar allí?** - Vamos a pasar diez días allí. **¿Dónde vas a quedarte?** - Vamos a quedarnos en un hotel de lujo cerca de Barcelona. **¿Qué vas a hacer?** - Vamos a ir a la playa, tomar el sol, jugar al fútbol e ir de marcha. Será divertido.	**¿Adónde vas a ir de vacaciones?** - Voy a ir a Francia. **¿Con quién vas?** - Voy allí con mi familia. **¿Cuántos días vas a pasar allí?** - Vamos a pasar tres semanas allí. **¿Dónde vas a quedarte?** - Vamos a quedarnos en un hotel barato en París y en un hotel de lujo en Niza. **¿Qué vas a hacer?** - Vamos a hacer turismo, comprar ropa y recuerdos, y comer comida deliciosa. Será genial.
4	**5**	**6**
¿Adónde vas a ir de vacaciones? - Voy a ir a Grecia. **¿Con quién vas?** - Voy allí con mis tíos. **¿Cuántos días vas a pasar allí?** - Vamos a pasar diez días. **¿Dónde vas a quedarte?** - Vamos a quedarnos en un hotel barato en Santorini. **¿Qué vas a hacer?** - Vamos a hacer buceo, montar a caballo y descansar. Será relajante.	**¿Adónde vas a ir de vacaciones?** - Voy a ir a Portugal. **¿Con quién vas?** - Voy allí con mis abuelos. **¿Cuántos días vas a pasar allí?** - Vamos a pasar dos semanas allí. **¿Dónde vas a quedarte?** - Vamos a quedarnos en casa de mi familia en Lisboa. **¿Qué vas a hacer?** - Vamos a comer, dormir, ver televisión y hacer turismo. Será un poco aburrido.	**¿Adónde vas a ir de vacaciones?** - Voy a ir a México. **¿Con quién vas?** - Voy allí con mi familia. **¿Cuántos días vas a pasar allí?** - Vamos a pasar dos semanas allí. **¿Dónde vas a quedarte?** - Vamos a quedarnos en un hotel de lujo en Cancún. **¿Qué vas a hacer?** - Vamos a hacer turismo, hacer buceo, ir de compras e ir de marcha. También voy a hacer escalada y ciclismo. Será guay y divertido.

UNIT 15 – SURVEY

	What is your name?	Where are you going to go on vacation?	Who are you going on vacation with?	How long are you going to stay there?	Where are you going to stay?	What are you going to do during the vacations?
	¿Cómo te llamas?	¿Adónde vas a ir de vacaciones?	¿Con quién vas a ir de vacaciones?	¿Cuánto tiempo vas a quedarte allí?	¿Dónde vas a quedarte?	¿Qué vas a hacer durante las vacaciones?
e.g.	Me llamo Tomás.	Voy a ir de vacaciones a Argentina en barco.	Voy a ir de vacaciones con mi amigo Dacho.	Voy a quedarme dos semanas.	Voy a quedarme en la casa de Messi.	Voy a hacer deporte, comer y dormir.
1						
2						
3						
4						
5						
6						
7						

UNIT 15 – ANSWERS

FIND SOMEONE WHO

Find someone who...		Name
1.	...is going to go by boat to England.	Inés
2.	...is going to spend their holiday in Japan.	Bruno / Lorenzo
3.	...is going on holiday for six days.	Elena
4.	...is going to travel to Malta.	Jordi
5.	...is going to go to Japan by boat.	Bruno
6.	...is going to go to Portugal.	Tomás
7.	...is going to travel by coach.	Julieta / Clara
8.	...is going to travel by plane to an Asian country.	Luna / Claudia
9.	...is going to travel with their two brothers.	Sergio
10.	...is going on holiday for a month.	Lorenzo
11.	...is going to travel to Germany.	Adrián
12.	...is going to spend two weeks in an Asian country.	Claudia / Julieta
13.	...is going to travel by plane to Cuba.	Consuelo
14.	...is going to go by boat to USA.	Alma
15.	...is a red herring! 🐟 (No match)	Gael / Hugo

STAIRCASE TRANSLATION

Este verano voy a ir de vacaciones a Argentina con mi familia. Vamos a ir allí en avión. Vamos a pasar dos semanas allí. Vamos a quedarnos en un hotel barato. Vamos a hacer turismo, comer comida deliciosa, ir de compras y tomar el sol. Será relajante y divertido.

FASTER! REFEREE SOLUTION:

1. El verano que viene voy a ir de vacaciones.
2. Voy a ir a España.
3. Voy a ir en avión.
4. Voy a pasar una semana allí.
5. Voy a quedarme en un hotel de lujo en Málaga.
6. Voy a ir a la playa todos los días.
7. Voy a tomar el sol.
8. Voy a jugar con mis amigos.
9. Voy a hacer buceo.
10. Será relajante y divertido.

FLUENCY CARDS

1. Este verano voy a ir a España. Voy a viajar en coche y voy a pasar una semana allí. Voy a quedarme en un hotel de tres estrellas. Voy a tomar el sol y hacer buceo.
2. Este verano voy a ir a Italia. Voy a viajar en tren y voy a pasar cinco días allí. Voy a quedarme en un hotel de cuatro estrellas. Voy a comprar recuerdos y montar en bici.
3. Este verano voy a ir a Grecia. Voy a viajar en barco y voy a pasar dos semanas allí. Voy a quedarme en un camping. Voy a ir a la playa y tomar el sol.
4. Este verano voy a ir a Francia. Voy a viajar en avión y voy a pasar un mes allí. Voy a quedarme en casa de mi familia. Voy a sacar fotos y hacer turismo/visitar monumentos.
5. Este verano voy a ir a Alemania. Voy a viajar en autocar y voy a pasar diez días allí. Voy a quedarme en un hotel barato. Voy a ir de compras y descansar/dormir.

Printed in Great Britain
by Amazon

47226206R00112